VINCENZO CERAMI

VITE BUGIARDE

ROMANZO D'APPENDICE

OSCAR MONDADORI

© 2007 Arnoldo Mondadori Editore S.p.A., Milano

I edizione Scrittori italiani e stranieri ottobre 2007
I edizione Oscar contemporanea settembre 2008

ISBN 978-88-04-58314-1

Questo volume è stato stampato
presso Mondadori Printing S.p.A.
Stabilimento NSM - Cles (TN)
Stampato in Italia. Printed in Italy

 www.librimondadori.it

VITE BUGIARDE

Capitolo I

Se penso a ciò che è successo, mi vengono in mente le ansie di Angelica quando si risveglia in un lussuoso appartamento orientale, nel castello di poppa della nave pirata.

La sensazione di essere osservata da uno sguardo invisibile richiamò la donna alla realtà. Una ventata gelida entrò attraverso la finestra, portando l'umidità degli spruzzi. Angelica sentì freddo. Si accorse allora che il corpetto era aperto sul petto nudo e provò turbamento. Quale mano le aveva sciolto i lacci? Chi si era chinato su di lei, mentre era in stato di incoscienza? Chi aveva scrutato, forse con inquietudine, il suo pallore, l'immobilità del suo volto, le sue palpebre chiuse e stanche? Poi colui si era accorto che stava soltanto dormendo, spossata, e si era allontanato dopo averle slacciato il corpetto perché respirasse meglio.

Quel gesto, forse una semplice attenzione, che tradiva il maschio abituato a una grande familiarità con le donne, fece arrossire Angelica, che si sollevò aggiustandosi la veste con mosse vivaci e timide.

Perché l'aveva condotta lì, nella sua cabina, e non tra gli uomini della ciurma? La considerava dunque sua schiava, sua prigioniera, a disposizione dei suoi capricci, nonostante il disprezzo che nutriva per lei?

7

Anche a me è capitato di essere trattata come schiava da qualcuno che mostrava di apprezzare solo il mio corpo.

Ma ci sono due frasi di Angelica, che sembrano scritte apposta per me. La prima è la fotografia di come la penso oggi, dopo che per molto tempo sono stata convinta del contrario, di avere buttato la mia vita nel cassonetto, insieme alle immondizie: "Si gode profondamente la vita solo quando la morte pare vicina e sicura".

A me la morte è passata a un palmo.

Oggi dico con orgoglio, e convinzione: meno male che mi sono successe tutte quelle brutte cose. Attraversando le disgrazie ho scoperto la fortuna, ho bevuto con ingordigia la vita pensando invece di calpestarla. Ho capito finalmente che il vuoto è la vera morte, e l'ho sperimentato per cinque lunghi anni di buio e di silenzio.

La seconda frase è la reazione di meraviglia dei suoi amici quando, nella nave del pirata, la vedono risorgere dal letargo. Qualcuno sussulta: "Signora Angelica! Vi credevamo morta... annegata!".

Mi sono sentita dire più o meno la stessa cosa anch'io, al risveglio, dopo anni di sonno all'ospedale. Con un sorriso stanco, di circostanza, il dottor Stigliani, sbucando nella nebbia dei miei occhi, mi ha detto che ero risalita a galla da un annegamento durato tanto tempo.

In verità, quando mi ha fatto questa rivelazione, erano già sei mesi che non giacevo più nel letto. Sottobraccio a lui, o a mia madre – che veniva a trovarmi tutti i giorni con la frutta di stagione –, avevo cominciato a camminare, prima lungo il corridoio della corsia, poi giù, in giardino, dove c'è un porticato di cemento e qualche panca di ferro battuto.

Il giorno in cui ho sceso le scale da sola, il dottor Stigliani ha voluto brindare con un prosecco. «La prossima settimana» mi ha detto «potrai tornare a casa. Niente più medicine, né analisi. Devi solo metterti in testa che sei guarita, che stai bene. Trovati con calma un lavoro e divertiti.»

Ci ha accompagnato a casa, me e mia madre, con la sua macchina. L'ho visto ripartire e ho subito avuto una crisi, mi sentivo su una barca senza remi, sudavo freddo e mi è venuta una sete terribile. Aprivo le porte gridando: «Dov'è la cucina, dov'è la cucina?!».

Mi sono attaccata al rubinetto, non so quanta acqua ho bevuto, inzuppando la camicia e la gonna.

Mia madre mi guardava spaventata, con la mano sulla bocca per non urlare anche lei. Poi mi ha abbracciato e calmato con le carezzine che mi faceva da bambina. Mi ha portato di là, nel salotto, e io mi sono seduta in poltrona, dove ho chiuso gli occhi con tanta nostalgia di quando non c'ero. Volevo tornare a dormire per altri cinque anni.

Mi si è messa vicino, e non ha fatto altro che lisciarmi e baciarmi una mano, cantando con un filo di voce una vecchia cantilena. Cantava, e io, invece di rivedere lei che mi infilava il pigiamino, sentivo il profumo al limone del dopobarba di mio padre, scomparso a causa di un improvviso blocco cardiaco quando ancora frequentavo il liceo. Il profumo di agrumi mi inebriava, ma non riuscivo a ricostruire mentalmente il volto di mio padre. Era là, e non lo vedevo. Volevo chiamarlo, a voce alta, come fosse nella stanza accanto. Sono rimasta muta per non allarmare ancora di più mia madre.

Sapevo di essere rientrata a casa, e che ero preda di un prevedibile attacco di panico. D'altra parte non tornavo da un collegio svizzero. Così, lentamente, ho ripreso il giusto respiro e mi sono sentita meglio. Riaprendo gli occhi non mi trovavo nella cabina esotica del corsaro, affrescata con scene di pantere e fiori di loto: stavo nella mia casa di sempre, dove sono nata più di trent'anni fa.

* * *

Per molti mesi il dottor Stigliani è stato il mio unico punto di riferimento. Mi tranquillizzava sapere che aveva in tasca la pozione magica per tirarmi fuori da qualsiasi trappola che la mia testa, ancora stralunata, provava a tendermi: mezza pasticca e il cuore sarebbe tornato a battere regolarmente.

Devo dire che non ne ho avuto bisogno. Mi difendevo da sola, sdraiandomi a terra con le gambe sollevate e appoggiate al muro, e respirando profondamente.

Incredibile, Stigliani, resuscitandomi, mi ha regalato un piacere infinito, ma è stato anche colui che, più tardi, ha spezzato la mia felicità.

Il centro della mia storia è fra questi due momenti.

Il dottor Aldo Stigliani – non ho mai osato chiamarlo per nome, perché ai miei occhi non perdesse l'autorevolezza dello scienziato – mi aveva preso a cuore il giorno stesso del mio ricovero, forse perché ha una figlia, Cesira, della mia stessa età. Mi ha identificato in lei e ha avuto pietà.

Ogni tanto lo incontravo, non voleva che ci vedessimo all'ospedale, quel luogo apparteneva a un capitolo definitivamente chiuso. Ci davamo appuntamento in un caffè del centro, il bar Italia, dove lui ordinava il solito prosecco e io una spremuta d'arancia. Non avevo granché da raccontare, se non strazianti e fumosi ricordi di mio padre, e qualche vago sapore dei miei lontani tempi scolastici.

Il più delle volte gli raccontavo dell'entusiasmo che mi rapiva leggendo le avventure di Angelica, l'eroina dei romanzi di Anne e Serge Golon. Le loro storie mi piacevano così tanto che non ho voluto mai leggere niente altro. Ho provato a calarmi in diversi romanzi dell'Ottocento, e anche in libri contemporanei, ma già alla seconda pagina mi addormentavo. Angelica l'ho scoperta solo perché a casa c'erano due romanzi che parlavano di lei. Erano di mia madre, se li era portati sempre dietro, fin dall'adolescenza.

Quei due libri li avevo letti e riletti già prima di andare in ospedale, gli altri li ho comprati e divorati dopo, e devo dire che mi hanno riempito lunghe e noiose giornate, rendendole ricche di poesia e di emozione. Stavo ferma in casa, e viaggiavo con i sogni insieme ad Angelica, che per tutta l'esistenza non ha mai avuto tregua, passava da un incontro esaltante all'altro, sempre dividendosi tra momenti di tensione mozzafiato e incontrollabili tormenti di amore e seduzione.

* *

È il fascino di tali letture che oggi mi sollecita a mettere per iscritto la vicenda che è capitata a me, insieme terribile e sublime, così vera che nessuno ci crede.

Per non condizionare il mio futuro, e visto che la storia è finita sui giornali, anche se relegata nelle pagine di cronaca nera e ridotta dalla stampa a bieco fatto senza anime, trovo giusto cambiare i nomi dei protagonisti e delle città in cui il dramma s'è svolto.

Per delicatezza e per rispetto di chi è stato coinvolto cambio il mio nome, e scelgo di chiamarmi Angelica, per entrare nello spirito di chi narra nobili persone e luoghi d'incanto, a dispetto di quel che la trama bruta mette desolatamente in scena. Da un nubifragio, che è il male, si genera il bene: crea fango, e sotto i suoi scrosci dal fango libera. La passione di Cristo è stata il duro prezzo della Rivelazione. La sua storia è a due facce, una orrenda, l'altra divina.

* *

Per molti mesi ho fatto vita da convalescente, per la gioia di mia madre, che mi vedeva leggere in silenzio, seduta nella poltrona vicino alla finestra. Si occupava di me come ai tempi in cui mi imboccava con il semolino. Pasti leggeri e saporiti, la siesta e due passi intorno al palazzo. Io correvo dietro alle rocambolesche avventure di Angelica, lei guardava la televisione. Poi, tutte e due a letto.

Quando alla porta bussavano gli amici di famiglia, per salutarmi dopo tanto tempo, mamma non li faceva entrare. Con voce bassa li scoraggiava: «Più in là» diceva, «più in là. Si sta riprendendo un po' alla volta. Deve rinforzarsi ancora. Magari una parola sbagliata...».

E quelli se ne andavano lasciando i loro piccoli doni, spesso dolci fatti in casa.

I brutti sogni cominciarono ad affacciarsi mesi dopo. Partivano bene e finivano a catafascio. Non voglio negare che nell'avido e contraddittorio mondo dei vagheggiamenti notturni emergessero, forse per influenza delle fresche letture, immagini di confuso erotismo. Era fatale, anche perché a detta del medico molto somiglio, nel portamento e nei lineamenti, alla bella, audace, orgogliosa eroina di Anne e Serge Golon, almeno per come io gliela descrivevo. Alla mia età è un segno di salute essere attraversata dai brividi della sensualità.

Nel sonno mi apparivano i personaggi dei romanzi: nel ristretto spazio della cabina, l'alta statura di colui che era conosciuto come Barbadoro riempiva la stanza. Le stava ritto davanti, in silenzio. Faceva molto caldo. Si era tolto la larga fascia di cuoio che portava a tracolla, l'aveva posata sul tavolo buttandoci sopra la redingote. Al cuoio erano agganciate tre pistole e un'accetta. Angelica si ricordava del dolore provato quando lui l'aveva stretta a sé tanto da stritolarla contro tutto quell'arsenale. Ma al tempo stesso lui si era chinato e aveva appoggiato le labbra sulle sue, ed era stata una sensazione violenta e deliziosa.

Gli uomini che mi apparivano puzzavano di sudore e di polvere da sparo, filibustieri aggressivi e languidi. Uno solo di quei sogni si trasformò in incubo, ed era così forte che annientò tutti gli altri.

Chiudevo gli occhi e mi vedevo sempre con le mani legate da una lunga catena con cui un oscuro gaglioffo mi tirava verso il mercato degli schiavi. Non potevo sfuggirgli, come non potevo sfuggire a me stessa. Quella bestia mi disgustava e mi attraeva nello stesso tempo. Mi baciava soltanto dopo, quando i sensi avevano placato la loro fame urgente. Mi accarezzava, mentre mi ammanettava.

Mia madre si era accorta che indugiavo spesso e volentieri di fronte allo specchio. Lei mi vedeva come una bambina, io scoprivo in me una donna che si stava incrostando come uno scoglio del mare zeppo di conchiglie, muschio, ciuffi di alghe, granchi e mitili. Ogni onda che mi investiva spumeggiando mi faceva riemergere sempre uguale. Il tempo passava e io passavo col tempo. Nell'immobilità assoluta.

Dunque un mezzo diavolo si stava impadronendo di me, girava su se stesso velocemente, le braccia sollevate, assordandomi con il tamburello guarnito di monete di rame, su cui batteva con dita veloci.

Dovevo ricucire la mia vita passata con quella presente. Andare avanti, e non lasciare che i fantasmi incollati come figurine a chi sa quali dimenticate pagine si accasassero nella mia anima.

Giunse così il fatale giorno in cui chiesi a mia madre di sedersi comodamente e di raccontarmi cosa era accaduto.

* * *

«Mamma, forse è bene che tu mi dica cosa mi è successo. Io so che a un certo momento nei miei occhi si è fatto tutto nero, e mi sono risvegliata dopo un'infinità di mesi. All'inizio, la mia vita passata non è stata un problema, perché nel buio il tempo non esiste, è come se avessi normalmente dormito una sola notte. Ma adesso, quando provo a mettere in moto la memoria, saltano fuori immagini che mi danno dolore e che subito cancello. Di quel poco che ricordo non esiste quasi più niente, tranne il fruttivendolo qua sotto, di colpo invecchiato, la tabaccheria di via Cernaia, che ha cambiato gestione, e gli inquilini del palazzo che mi salutano guardandosi le scarpe.»

Mia madre mi ha interrotto, ma non riusciva a tenere a bada le labbra, che tremavano cambiandole la voce.

«Sei stata male. Una malattia brutta e rara, che per fortuna alla fine si è ben risolta. Il Signore, che ho pregato ogni giorno, mi ha ascoltato. Dobbiamo ringraziarlo. E poi non è vero che hai dormito sempre. Sì, certo, non volevi uscire dal letto, ma avevi gli occhi aperti e ogni tanto dicevi qualche frase. Solo che nella tua testa tutto ciò che ti veniva detto e che tu stessa dicevi spariva in un attimo, come il fumo.

14

Non ci pensare più, ti prego. Non te l'ho detto, ma sto cercando per te un lavoro tranquillo, così sarai indipendente, potrai fare nuove amicizie e cominciare una vita normale, come tutte le ragazze di questo mondo. Sto aspettando delle risposte, forse c'è qualche speranza nell'ufficio amministrativo del supermercato qua sotto. Guarda avanti, lascia in soffitta la roba vecchia e inutile. Sei nel fiore degli anni, devi pensare a viverli bene. Io voglio morire in pace, sapendoti tranquilla e sistemata. Sii buona, Angelica, aiutami. Bisogna arrivare alla mia età per capire che il passato è solo un sogno. Il tempo che ho trascorso con tuo padre è esistito? E anche se è esistito, ora non esiste più. E siccome io credo, aspetto il momento di incontrarlo nell'altro mondo. Ecco cosa ti manda avanti, ciò che cerchi e non ciò che hai perso.»

È scoppiata a piangere. Allungando le braccia verso di me, le ha fatte scivolare sulle mie spalle chinando la testa, implorante.

«Angelica, ho tanto sofferto in questi anni, promettimi, giurami che non mi farai più domande. Sono l'ultima persona che può aiutarti... è troppo grande quello che è successo. E mi chiedo come mai sono ancora in piedi. È l'amore per te che mi ha fatto tenere duro. Adesso sei in ottima salute, e hai il diritto di essere felice. Pensa a lungo prima di fare qualsiasi cosa. Sei sempre stata troppo impulsiva, e sensibile. Dammi un bacio e non farmi più domande, perché non ho risposte.»

Lì per lì volevo urlare la mia furia per il ricatto che le parole di mia madre implicavano. Non si accorgeva che, con la presunzione di fare il mio bene, mi stava costruendo intorno una prigione. Ma di cosa dovevo aver paura? Perché preoccuparmi?

Una persona sta male per lungo tempo, poi guarisce e decide di riprendere il filo della sua vita. Perché tanta reticenza e tante lacrime? Sarebbe stato più giusto, da parte della mamma, mettersi con santa pazienza a rammendare quelle zone del passato della figlia dove si aprivano gli squarci dell'oblio. E invece si abbandonava a una oratoria ipocrita e ispirata dall'egoismo. La fuga dai suoi problemi aggravava non poco i miei. Possibile che non cogliesse nella richiesta d'aiuto l'urgenza vitale?

Lì per lì volevo protestare, andarmene sbattendo la porta. Per fortuna non l'ho fatto, perché avrei dimostrato a mia madre e a me stessa che la vera egoista ero io, incapace di comprendere lo stato d'animo di una persona ormai anziana che ha passato cinque lunghissimi anni in autobus per andare da casa all'ospedale e dall'ospedale a casa. E oggi, se avesse aperto la porta al bussare della figlia, sarebbe entrata dentro un altro inferno, e non ne sarebbe uscita più, povera donna.

* * *

Non potevo contare su di lei. E non volevo. Così ho deciso di farmi coraggio e di risolvere da sola i miei problemi. Salivo su una delle navi che erano state le prigioni di Angelica, a caccia di quel pezzo di vita che il destino mi aveva sottratto. Sentivo la necessità di sapere cosa avevo prima della malattia. Quali luoghi e quali amici frequentavo.

All'epoca non lavoravo, di questo ero certa. I soldi, seppure contati, li avevo sempre nella borsetta, perché mia madre ha una buona pensione statale e ci ha sempre tenuto a non farmi sfigurare. Ho fatto il giro dei vecchi compagni di liceo, quelli che ricordavo, per raccogliere un po' d'informazioni.

Non ne ho ricavato quasi nulla, soprattutto perché si guardavano bene dall'accennare alla mia assenza. Mi dicevano solo: «Ma come stai bene, ci hai messo una paura!». E basta. Poi, come spaventati, via di corsa a parlarmi delle loro beghe, dei figli obesi, dei mariti e delle mogli incastrati in problemi economici e familiari.

Ciò che mi faceva lentamente riappropriare di me stessa era andarmene a spasso per la città: strade e palazzi che nel loro magnifico, premeditato grigiore custodivano i colori del vivere umano. Credo che chi cresce in una città monumentale, sontuosa nel suo decoro e nel racconto della storia stampata sulle facciate delle case e sui monumenti, con più difficoltà apprezza quanto di bello è sprofondato nel corpo dei Barbadoro che la abitano oggi.

Se una cosa ho imparato è che ad Angélique de Sancé de Monteloup, contessa di Peyrac e marchesa du Plessis-Bellière, non servono la nobiltà e l'educazione integerrima a tenere a freno le sue morbose tentazioni, e che la pletora dei truci avventurieri che le girano intorno come mosche affamate sono angeli con la maschera di belve.

Il mio quartiere è fatto di palazzotti di quattro o cinque piani, color cenere e di uguale fattura. Una città dentro la metropoli, dove si incrociano autostrade e tangenziali.

Un giorno di sole polveroso, nuotando in quello spento, immenso dormitorio, mi sono ricordata di quando, da bambina, mio padre volle portarmi con sé a Mestre. Faceva il rappresentante di prodotti per parrucchieri e stava sempre in giro. Si sentiva in colpa perché non poteva dedicarmi molto tempo.

Una mattina, dopo aver riempito il suo borsone giallo con le mie cose, mi fece salire in macchina e varcammo subito il casello che sta proprio vicino a casa. Fu un viaggio che ricordo molto noioso, ma che oggi, a ripensarci, mi stringe il cuore.

Mi portò in una pensione pulita, poveramente arredata, ma colorata da vasi e vasetti da cui traboccavano fiori di carta, papaveri e gardenie. All'ingresso c'era un banano con i frutti appesi. Siamo rimasti tre giorni, passati senza dirci granché.

Non so quanti gelati al giorno mi comprava mio padre. Qualche volta mi lasciava alla pensione, quando aveva un giro fitto di clienti. A farmi compagnia arrivava una giovane signora, una parrucchiera con i capelli ossigenati, larga di fianchi, la gonna un po' corta e con le gambe lisce, abbronzate e muscolose. Era buona. Io mi annoiavo in giardino e lei mi guardava dalla poltrona sotto la pensilina, con "La Settimana Enigmistica" sul grembo e la matita in mano. Ogni tanto mi diceva che papà era un uomo bravo, che ero fortunata ad avere come genitore una persona come lui, abituato a essere simpatico con la gente.

Non è un caso che mi sono ricordata di quel viaggio. Quando questa signora arrivava in albergo per farmi compagnia, io mi avvicinavo a lei per cogliere l'odore di limone che aveva addosso. Ero così scema da accettare con naturalezza il fatto che usava come profumo lo stesso prodotto che mio padre si passava sulla faccia dopo la rasatura.

Oggi mi chiedo se papà avesse come amante lei, o una delle femmine vogliose sparse nelle città dove andava a vendere shampoo, creme, fissatori e macchinette per l'ozono. In altri tempi ne avrei fatto un dramma, adesso che ne ho viste di tutti i colori mi viene da sorridere. Non potrò mai sapere chi dei due fosse il pirata, se mio padre o la parrucchiera.

Capitolo II

La mia camera ha una finestra sola, che dà sul ginepraio dei fabbricati, eretti sul cemento come pedoni sulla scacchiera. Sento il lontano vociare di un asilo: urla di bambini festosi e piagnucolanti, e richiami all'ordine delle maestre. Ma vedo muri. C'è questo piccolo tavolo di plastica su cui scrivo, con sopra le due montagnole delle conturbanti vicissitudini di Angelica. Alle spalle ho l'armadio, vicino alla cassettiera. Il letto è grande, una piazza e mezza, e sulla testata c'è una riproduzione della *Madonna del Granduca* di Raffaello. E quasi niente altro.

Se per lungo tempo non sono andata a cercare le mie cose vecchie, bambole ingiallite, foto, quaderni di scuola e tutti gli oggetti che in genere ti accompagnano fino alla vecchiaia, è perché, in cuor mio, avevo paura. La stessa paura di mia madre. Il corpo mi difendeva a mia insaputa, aveva cognizioni che ignoravo. Respingevo la verità, per non dovermi caricare di un peso che la lenta convalescenza non avrebbe sopportato.

Ma adesso mi sentivo più forte. Come i cadaveri degli annegati che prima o dopo vengono a galla, dal fondo della coscienza emergevano facce e suoni dimenticati, sfocati, figure familiari avvolte nell'ombra.

La smania di sapere divenne più forte del bisogno

di ignorare. Rivoltai i cassetti di tutte le stanze. Cercai sotto i letti, nello sgabuzzino, in cucina, sul balcone, sopra gli armadi impolverati. Tutto sparito.

Con una domanda buttata là a mia madre, e una semplice risposta, avrei risparmiato tempo e stress. Ma non volevo che mi vedesse ancora presa dallo stesso assillo, invischiata in fatti accaduti molti anni prima, che sicuramente racchiudevano qualcosa di imbarazzante e doloroso.

Solo ora mi viene il sospetto che abbia avuto ragione a lasciarmi sola con i miei problemi. Il suo cervello è stato più intelligente di lei. Il suo istinto di madre voleva che mi conquistassi da sola la verità, perché così avrei lentamente metabolizzato il trauma di una rivelazione fredda e brutale, sconvolgente.

*
* *

Un dopopranzo – avevo ormai rinunciato a cercare lo scrigno dei ricordi – mia madre, che era di buon umore, vedendomi inoperosa, mi dice: «Perché non prendi la bicicletta e ti fai un giro? È una bella giornata».

Già, la bicicletta... Ma dov'era, non l'avevo vista in casa.

«Sta giù, nella cantina. Però la devi pulire e devi gonfiare le gomme. La pompa è attaccata alla canna.»

La cantina non me la ricordavo così, sembrava il magazzino di un robivecchi, affastellato di scatole, scatoloni, attrezzi e rottami. C'era anche un bancone con la ruota della sega elettrica arrugginita. Sui cartoni, a tinte sbiadite, erano stampate le marche della merce che mio padre portava in giro nel suo lavoro. La bicicletta era poggiata a terra, sul sellino e il manubrio, le ruote sgonfie. Ne feci girare una, e subito ritrovai la memoria di quando mi portava a spasso per la città. Il cigolare dolce del pignone mi faceva da ninna nanna, sono rimasta immobile, ipnotizzata, con la testa vuota.

Se mia madre non è impazzita – pensavo – qua dentro, da qualche parte, sono custoditi i miei ricordi. Non può avere avuto il coraggio di gettare alle fiamme la scatola delle foto, l'album della prima comunione, dove sorrido tra lei e papà. E quelle annuali della scuola. I miei disegni, e le lettere dei primi amori. Li avrà nascosti per prudenza, per restituirmeli il giorno in cui sarò di nuovo padrona di me stessa.

* *
*

Mi sono messa a rovistare. Le scatole erano state ben chiuse con il nastro adesivo. Le ho aperte. Contenevano per lo più vecchie ricevute, contratti della luce e del gas, buste paga... Ma anche sacchetti di bottoni, coperte mangiate dalle tarme, una tombola e varie cianfrusaglie.

Ciò che mi riguardava l'ho trovato in due scatole, una grande e l'altra piccola. Nella prima erano ammucchiati orsacchiotti e bambole, di diverse dimensioni; nell'altra ho subito riconosciuto le casette di legno squadrate dipinte a mano da me, gli album e le buste con le foto, e un ammasso di oggettini che non significavano più nulla, ma mandavano ancora gli odori scomparsi dalla mia camera.

Con la cassa del tesoro tra le braccia ho risalito le scale e sono andata a passi decisi in camera mia. Mamma mi vede e raggela. Chiudo a chiave la porta e lei, sul momento, non fa nulla.

Spargo tutto sul letto e piano piano, come fossero reliquie sacre, passo in rassegna con le mani tremanti ognuno di quegli oggetti. Le foto le conservo per ultime. Tiro su a caso, e il passato si riforma a macchie, senza cronologia, con balzi di vent'anni. Ora un quadretto ad acquerelli con i pesciolini rossi, ora una macchina fotografica in ottime condizioni.

Dopo un po' sento battere alla porta. Mia madre non vuole entrare, vuole solo dirmi poche cose, da fuori.

«Amore della mamma» a voce alta e con tono fermo «fai la brava, sii prudente...»

* * *

Sono stati giorni che hanno messo a pesante prova il mio cuore e a soqquadro la testa, perché finalmente, grazie soprattutto alle fotografie, ho completato quasi tutto il puzzle. Rimanevano alcune zone d'ombra, che sapevo di dover chiarire più tardi. A quel punto mia madre non aveva più ragioni per restare in silenzio.

Ho introdotto io il discorso, durante la cena, in quella cucina che, non sapevo perché, mi dava la nausea e mi intristiva.

«Goffredo che fine ha fatto?»

Mamma mi ha risposto subito, senza battere ciglio.

«Non l'ho più visto, è sparito. All'inizio veniva tutti i giorni all'ospedale, la notte dormiva sdraiato su una panca del corridoio. Non ti voleva perdere d'occhio neanche per un momento. Ha seguito con trepidazione il percorso della tua malattia. Ha tormentato i dottori fino al punto di esasperarli; e quelli non hanno più voluto parlare con lui. L'ho visto piangere tante volte, da solo, con la faccia contro il muro. Come stava male, poverino.»

«Veniva da solo?»

«Sì, da solo, specialmente nella fase critica. Poi, cosa vuoi, di fronte ai dottori che ti rispondono facendo di no con la testa e allargando le braccia, con il tempo che passa subentra la rassegnazione. Allora se ne stava seduto sulla panca della corsia, e aveva sempre meno voglia di venirti a vedere e di parlarti. Tu non rispondevi e il cuore gli scoppiava. Io gli dicevo: Goffredo vattene a casa, ci vediamo lunedì. E invece lui veniva anche la domenica.»

«E poi è sparito!»

«Eh, ma dopo molto tempo!»

«Quanto?»

«Forse due anni. Ma cosa vuoi, se si perde la speranza, se vedi che non c'è nessun miglioramento... dopo un po' ha sentito di doversi liberare di un amore che era ormai diventato una trappola senza uscita. Non se l'è sentita di starti eternamente accanto. Ti confesso che sono stata contenta per lui quando non l'ho più visto. Pensa che negli ultimi tempi veniva in ospedale anche con una gamba ingessata. Camminava col bastone. Diceva che sul piede gli era cascato il motore della Ford mentre lo smontava. Povero ragazzo... stava rinunciando alla sua vita per accudire qualcuno che non c'era più. Ti dico questo perché tu sappia che la situazione era tragica. Sbagli se ti senti delusa da Goffredo, non aveva altra scelta. Solo io non potevo permettermi la rassegnazione, una madre non abbandona mai un figlio, mai, anche se speranze non ne ha più. Goffredo non lo vedo da anni, e nessuno mi ha più parlato di lui. Spero che abbia saputo della tua guarigione!»

«Si sarebbe fatto vivo. Un giorno qualcuno glielo dirà. Io non so se ho voglia di vederlo. Sono cambiata, dico fisicamente... è cambiato lui, e poi chi sa dov'è e cosa fa oggi!»

«Magari in seguito, quando sarai ancora più tranquilla, prova a cercarlo. Ho nostalgia di quel bravo e dolce ragazzo che per tanto tempo ha quasi vissuto in casa nostra. Gli sono affezionata.»

«È l'ultima cosa che vorrei fare in questo momento, mamma. E poi lo hai detto tu... non ha senso riprendere il vecchio cammino. Tutto è cambiato intorno a me, devo adeguarmi a quello che c'è adesso. Intanto vorrei trovare un lavoro che mi piaccia.»

«Brava, il lavoro deve piacerti. Non accontentarti della prima occasione. Ho messo tanti soldi da parte... non abbiamo l'acqua alla gola.»

* *

Sì, nei giorni seguenti andai a fare colloqui di lavoro ai quattro angoli della città, spostandomi a destra e a manca con gli autobus.

Sempre, prima di addormentarmi, tornavo con la mente a Goffredo, mi chiedevo dove poteva essere.

È stato prima il mio fidanzatino, poi il mio ragazzo, stava per diventare il mio compagno. Per me era il presente e il futuro, era tutto. L'unico amore della mia vita, molto rumoroso. Non era solo amore, non risparmiavamo alcun sentimento: oggi fratelli, domani complici di ragazzate, patiti della stessa musica, con pochi amici ma ben scelti e festosi. E infinite baruffe, con tanto di urlacci e pianti.

A ripensarci oggi, siamo stati troppo assetati di allegria e di emozioni. Non stavamo fermi un attimo, come se avessimo paura di guardarci negli occhi in silenzio.

Me lo vedevo, alle soglie del sonno, il ragazzo dai capelli chiari, magro e stravagante, fuori del comune. Era un po' spilungone e andava pazzo per l'abbigliamento, gli piaceva sorprendere, scandalizzare, anche con il linguaggio sfacciato e disinibito. L'ultima parola doveva essere sempre la sua, puntualmente sarcastica.

È diventato uomo da un giorno all'altro. Una mattina l'ho visto con una leggera pancetta e la schiena irrobustita. I vecchi calzoni e le camicie non gli entravano più. Allora ho cominciato a chiamarlo il signor Goffredo Colin, e a dargli del lei. Abitava in una villetta di sua proprietà, che gli avevano acquistato i signori Colin, i genitori italo-australiani, prima di lasciare l'Europa.

Il padre era un diplomatico, un uomo durissimo e corroso dall'egoismo, grosso come un camion. Non andava d'accordo con Goffredo, non gli piaceva niente di lui. Così, dopo l'ennesima lite, gli aveva comprato la casa e se n'era tornato in Australia con la moglie: il suo dovere di padre l'aveva fatto, e la coscienza se l'era messa a posto assegnandogli per qualche anno un buon vitalizio. Poi nulla più: se prima Goffredo era mezzo orfano, adesso lo era dalla testa ai piedi.

Mi chiedevo per quale ragione, uscita dall'ospedale, Goffredo non mi era proprio venuto in mente. Eppure non c'era stato che lui negli ultimi anni, sempre presente nelle mie giornate, tra casa sua, casa mia, nei locali dove si suona il jazz e in mezzo agli amici. Era molto strano: resuscitavo mio padre, le bambole, la scuola, le parrucchiere... e di lui nessuna traccia. Ci sono volute le foto ritrovate in cantina, per risvegliare dentro di me la sua immagine. Perché? Solo oggi potrei rispondermi.

* * *

Prima della malattia Goffredo mi aveva chiesto aiuto. Ne ero certa. Cosa, o chi, lo aveva spaventato, o minacciato?

Non potevo sopportare la sua figura, che la notte mi compariva come uno spettro e mi ossessionava.

Lo vedevo nella sua casa, diroccata e alluvionata, mentre, con la faccia spinta nella melma dalle pesanti mani del destino, tentava di girare le pupille verso di me e di gridare il mio nome.

Mia madre stava seduta in poltrona davanti alla televisione sorseggiando ogni tanto dalla fedele tazza del caffellatte. La guardavo dalla porta della mia camera. L'ho fissata non so per quanto tempo senza che lei se ne accorgesse.

Indossava un abito di cotone leggero, nero sbiadito, a fiori grigi. I capelli bianchi erano in perfetto ordine. La pelle del viso e delle mani sembrava quella di un neonato. Aveva le gambe divaricate e potevo vedere le ginocchia, appena gonfie, che da anni si nascondevano al sole.

Non ho potuto frenare la fantasia che me la mostrava giovane e vivace sotto il corpo spigoloso di mio padre. Mi sembrava impossibile che una donna come lei, con la sua indole così drammatica, pronta ad accettare come fatali le avversità, un tempo avesse riso, avesse ballato, si fosse dipinta le labbra davanti allo specchio. Non riuscivo a indovinare la felicità di cui aveva sicuramente goduto qualche volta, accanto a un uomo che, malgrado l'avesse fatta soffrire, la stava aspettando nell'aldilà. Mio padre lo ricordavo come un uomo di una volta, abituato a farsi servire.

Mi è venuto da sorridere nel figurarmela mentre si sfila la biancheria prima di perdersi tra le braccia del suo bel rappresentante di commercio.

Adesso guardava una fiction televisiva, che per fortuna prometteva un lieto fine. Rievocai il pensiero che ebbe Angelica dopo essersi accorta di averne abbastanza degli uomini e delle loro esigenze: medicare i feriti delle loro guerre, nutrire e allevare i figli della loro libidine, lucidare le loro armi, preparare la selvaggina, per anni e anni... fatiche nobili per gli uomini, fatiche ingrate per le donne!

* *

È stata la dirigente operosa e severa di un grande ufficio postale della città, ha passato i suoi anni migliori a placare le rabbie dei cittadini scontenti della burocrazia. E adesso finisce il suo viaggio, in un crepuscolo spopolato, con una figlia sfortunata, nel silenzio che la nenia delle voci televisive moltiplica per mille.

Finito il programma, ho spento il televisore e mi sono seduta di fronte a lei.

«Coraggio» mi dice. «Cosa vuoi sapere?»

«Qualcosa di Goffredo!»

«Lo immaginavo. Non so se ti posso aiutare. Chiedi, che ti rispondo.»

«Mi hai detto che all'inizio veniva a trovarmi all'ospedale tutti i giorni. Poi una volta a settimana, poi una volta al mese...»

«Sì, è così... un distacco lento e naturale. Aveva perso tutte le speranze. Veniva sempre di meno. L'ultima volta che l'ho visto arrivare mi sono molto meravigliata, pensavo che ormai ci avesse messo una pietra sopra. Non ha detto una parola, ti ha guardato dalla porta della camera, ti ha lanciato un bacio con le dita, poi mi ha accarezzato la fronte sorridendo e se n'è andato. Non l'ho più rivisto.»

«È sempre venuto solo?»

«Me l'hai già chiesto. Ti farà piacere sapere che non ha mai avuto il cattivo gusto di arrivare all'ospedale in compagnia di una ragazza. È venuto sempre solo. Lo vedevo ripartire in macchina dalla finestra... Un paio di volte c'era qualcuno in strada che lo aspettava, ma era un amico, un giovanotto annoiato. Me lo ricordo perché aveva il vizio di pulirsi le unghie con le unghie. Stava appoggiato alla macchina di Goffredo e si puliva le unghie.»

«Non l'avevi mai visto prima?»

«Una o due volte. Ma lo sai, i vostri amici non li conoscevo bene.»

Il tono era conclusivo. Si è alzata per prepararsi ad andare a letto. Mi ha sfiorato teneramente una guancia, aveva lo sguardo leggero.

«Perché non fai un viaggio? Ti ho messo altri soldi in banca. Prendi e parti. Che ne so, a Venezia, a Firenze... vai a Pisa, che non ci sei mai stata...»

«È un'idea... magari più in là. Buonanotte!»

E lei, senza voltarsi: «Prima la dimentichi quella storia e meglio è per te».

«Perché?» ho domandato alzando la voce.

Mamma si è girata, aveva gli occhi incattiviti.

«Non so se faccio bene a riaprirti la ferita. Credo di sì... anzi, credo che tu sia giunta alla fine del viaggio che ha incollato i cocci della memoria. Manca un ultimo tassello. Nei giorni in cui ti sei ammalata, quando ti vedevo perdere la testa, sempre di più, momento dopo momento, implacabilmente, mi disperavo, e non sapevo cosa fare... avevi spezzato ogni rapporto con Goffredo, fino a odiarlo, quasi a volerlo morto. Sono sicura che è stata quella rottura a mandare il tuo cervello in fibrillazione. Non hai retto alla delusione, al modo in cui ti aveva liquidato... ti sentivi come se ti avesse gettato nel cestino dei rifiuti. Gli avevi consegnato la tua vita e avevi rinunciato a ogni difesa. E lui ti ha tradito. In quelle settimane di tortura eri persa in un labirinto, non sei riuscita a immaginare un altro destino, altri luoghi, altre persone. Io ti pregavo di stare calma, di avere fiducia. Tu mi gridavi, spezzandoti la gola, che non c'era più niente da fare. Che indietro non si poteva più andare.»

Mamma mi raccontava quei terribili giorni, rivedendoseli davanti come un incubo. La vena di cattiveria che all'inizio le aveva attraversato il volto, svanì man mano che parlava.

«Quanti amori ho visto finire nella mia lunga esistenza! Non ricordo un periodo in cui non ho consolato qualche amica per i suoi drammi di cuore. Avevano da qualche parte, in un angolo segreto, una riserva d'aria da cui riprendere a respirare. Dovevo solo aiutarle a ritrovarla. E puntualmente, dopo la fase della disperazione, le vedevo rinascere e intraprendere con slancio una nuova strada, incontrare altri uomini. A tutti succede così, a te non è successo, non vedevi via d'uscita. Così hai spento ogni luce. Allora dico: ma è amore questo? E se questo è l'amore, che sia maledetto!»

L'ho stretta forte a me e ho mischiato al suo il mio pianto. Le ho detto: «Mamma, le cose non stanno proprio così, sono molto più complicate. Se è vero quello che dici... se è vero che Goffredo mi ha gettato nel secchio della spazzatura, perché è venuto per così tanto tempo al mio capezzale? Tu stessa hai avuto pietà per lui nelle ore passate assieme all'ospedale, in silenzio, sapendo di non dovervi aspettare nulla. È vero che la fine di questo periodo tremendo ha fortemente indebolito il mio fisico, ha quasi annullato le difese... ma, come mi ha più volte detto il dottor Stigliani, in me c'era una predisposizione alla malattia, qualcosa di congenito».

«No, ti sei voluta punire!»

«Perché?»

«Non lo so. Non ti amavi perché non ti amava lui. Spero che quanto è successo ti serva da lezione se in-

29

contrerai un altro uomo. Non darlo tutto l'amore, tieni una parte per te. Adesso mandami a letto...»

Sono tornata in ospedale per una serie di controlli e di analisi che mi hanno preso tre giorni fitti. «Una formalità» mi ha detto Stigliani «tanto per stare tranquilli.»

Del malanno non c'era più traccia. Quindi avrei fatto bene a non pensarci e a sentirmi una comune mortale che si guarda intorno per scegliersi una strada. Non mi andava bene nessuna offerta di lavoro.

La verità è che non volevo cercare un'occupazione senza inquadrarla in un largo progetto. La prospettiva più importante era l'indipendenza, non solo economica, da mia madre. Un lavoro sì, ma anche un appartamentino tutto mio, e amicizie importanti da stringere. Insomma, volevo fare le cose dopo averle ben pensate. Lo stato d'animo c'era tutto, e anche la voglia.

Dopo le ultime visite mediche, mi sentivo tanto sicura di me che non avevo più paura del passato. Potevo sfogliare le fotografie ritrovate in cantina senza sentire il cuore battere forte.

La sera, prima di coricarmi, le allineavo sul letto e mi emozionavo a rivedere le mie immagini di ragazzina, tra persone ingoiate dal tempo.

In molte foto stavo con Goffredo in luoghi che non avrei potuto ritrovare nella realtà, specie in quelle che ci ritraevano in costume da bagno su una spiaggia: lui fa capriole sulla sabbia e io lo guardo ridendo, circondati da amici che senza espressione, seduti su un asciugamano, rimirano le onde.

In un paio di foto più piccole delle altre siamo tutti e due adulti. Lì Goffredo è già il signor Colin: l'ignoto fotografo ci sorprende mentre saliamo sulla Ford azzurra di cui "il mio ragazzo" andava molto fiero.

Ero contenta di me, mi sentivo forte. La buona salute di spirito la specchiavo nel crescente buonumore di mia madre, che aveva ripreso contatto con le sue amiche fedeli e aveva tirato fuori dal cassetto l'affezionato mazzo di carte per i suoi impossibili solitari. Aveva resuscitato perfino l'antica abitudine, divisa con mio padre, di comprarsi ogni giovedì "La Settimana Enigmistica", che iniziava sempre partendo dalle parole crociate senza schema.

Ero contenta di me, mi sentivo forte, ma per dire di avere vinto completamente la battaglia, senza nessun patema, dovevo farmi coraggio e andare a cercare Goffredo, se non altro per fargli sapere che ero rinata. L'unica esitazione: mostrarmi a lui un po' sciupata e soprattutto con qualche anno in più.

Mi chiedevo se, nel frattempo, non fosse ingrassato o non avesse perso qualche capello. Mio padre da ragazzo aveva in testa un cespuglio di ricci, mentre da giovane la fronte si era alzata di tre dita.

Capitolo III

Non voglio dilungarmi troppo a raccontare nei dettagli il tortuoso tragitto che, nelle settimane successive alla mia decisione di incontrarmi con Goffredo, ho dovuto percorrere. Mi sembrava di essere su una chiatta in balia delle onde.

Il viaggio in autobus verso casa sua, che doveva essere l'unico, è stato invece solo una prima tappa. Me ne stavo seduta accanto al finestrino con lo sguardo perso, tra le mani un romanzo di Angelica che so quasi a memoria. Avevo messo il mio abito più allegro, con colori assortiti ma ben armonizzati intorno al blu della giacca. Andai a cercare tra le pagine del libro un passo che ricordavo, e che vagamente richiamava i giorni duri tra me e Goffredo: "Egli le aveva lasciato intendere ch'erano due estranei. Poteva anche succedere che un giorno diventassero nemici. Cominciava con l'odiare la sua condiscendenza indifferente, la sua volontà di avvilirla. Se il loro incontro avesse avuto luogo a terra, nessun dubbio che lei avrebbe già cercato di mettere una grande distanza fra sé e lui per provargli che non era donna da aggrapparsi a chi la respingeva".

È vero, Goffredo e io ci siamo incontrati su un'isola artificiale, galleggiante. Non abbiamo mai messo i piedi per terra. Uno faceva da riferimento all'altra, ma nessuno dei due si era mai accorto che insieme stavamo andando nella direzione decisa dai capricci del vento. Quando poi, come un fulmine, è arrivato il momento della verità, il naufragio non poteva più essere evitato.

* * *

La villetta stava nella parte verdeggiante della città, quindi un po' fuori. Non era il verde dei boschi e dei parchi, ma di prati stesi come tappeti, venuti su con le semenze e pettinati da giardinieri rumeni. Confesso che già nel vederla da lontano ho sentito un colpetto al cuore. Avevo lasciato lì parecchio di me.

Cercavo con lo sguardo il salottino di vimini sotto il porticato, e le luminarie di carta bianca che insieme avevamo allestito tutt'intorno alla casa. Non c'erano più. Ed era sparita anche la piccola fontana in plexiglas che ci aveva regalato un amico scultore.

Il nome scritto sul campanello, come mi aspettavo, non lo conoscevo. L'avrà affittata, ho pensato, oppure l'ha venduta e ne ha comprata una da qualche altra parte. Stavo per andarmene via, poi m'è venuto in mente che forse il nuovo inquilino poteva darmi qualche informazione.

Ho premuto il campanello. È uscito un signore grasso che sembrava un maiale, con la camicia fuori dai calzoni e la sigaretta in bocca, l'aria seccata. Quando ho fatto il nome di Goffredo Colin ha arricciato il naso, non sapeva chi fosse. Gli ho detto che quella casa era del signor Colin, allora si è ricordato, l'aveva visto dal notaio, anni prima, quando aveva comprato da lui il villino. Aveva fatto tutto l'agenzia.

«Sa per caso dove è andato ad abitare?»

«Non ne ho la più pallida idea... l'ho visto una sola volta e nemmeno mi ricordo che faccia ha!»

Sono tornata a casa decisa a bussare alla porta degli amici superstiti, e a fare un paio di telefonate. Per alcuni giorni infatti ho cercato in questo modo di avere notizie su Goffredo. Ma non ho trovato quasi nessuno, e poi i suoi amici non sono mai stati sempre gli stessi; casa sua era un porto di mare, qualcuno compariva per un po', poi spariva e ne arrivava un altro.

Malgrado l'estroversione Goffredo era un solitario, si dava a tutti ma solo superficialmente. E quelli dopo un po' si stufavano. Bastavamo a noi stessi, e questo, alla fine, ha danneggiato tutti e due, perché quando la mannaia ci ha separato siamo rimasti appesi nel nulla.

Era passato troppo tempo, e quelle poche persone con cui riuscii a parlare non ricordavano niente di niente: chi aveva figli, chi era malato, chi aveva cambiato città, chi aveva voluto dimenticare... Le speranze di sapere che fine avesse fatto Goffredo si esaurirono presto.

L'ultima carta da giocare era convincere il signore grasso a darmi l'indirizzo dell'agenzia che aveva fatto da tramite nella vendita della casa. Ho dovuto implorarlo, chiedergli mille volte scusa per il disturbo, perché non aveva minimamente voglia di mettere mano alle scartoffie. Alla fine sono riuscita a impietosirlo. Sono entrata in casa con lui per aiutarlo. Non ricordava nemmeno il nome dell'immobiliare.

Sbuffando e fumando svuotò un paio di cartelle chiuse con l'elastico. Intanto io spiavo ogni angolo della stanza spaziando di qua e di là con la memoria. Stavo dentro una casa mai vista prima, lontana chilometri da quella che era stata impassibile testimone dei momenti più felici della mia vita.

«Le faccio un caffè!» mi ha detto all'improvviso, andando dritto in cucina.

«Se mi permette, cerco io!» gli ho risposto a voce alta.

«S'accomodi, le carte sono tutte sue!»

Con meticolosità passai in rassegna fogli, foglietti e biglietti da visita. Finché trovai una cartellina di plastica con sopra un'etichetta incollata. C'era scritto: "documenti casa".

«Ho trovato!» ho gridato verso la cucina.

L'agenzia si chiamava banalmente Agenzia immobiliare Fratelli Rossi.

Ho trascritto l'indirizzo e il numero di telefono su un pezzetto di carta. La missione era compiuta, potevo anche andarmene, ma ormai c'era da prendere il caffè.

* * *

All'agenzia, dall'altra parte della città, vicino allo stadio, non avevano l'indirizzo di Goffredo. Anche qui ho dovuto pregare perché mi aiutassero. Sono scesa ai più bassi ricatti. Ho perfino inventato che era morto il padre del signor Colin e che dovevo assolutamente rintracciarlo prima dei funerali.

Le uniche informazioni che sono riuscita a strappare sono state il nome e la succursale della banca a cui l'immobiliare aveva versato il denaro a favore del venditore. Era un istituto di credito di piccolo calibro.

Cerca cerca, la banca era sparita. Ho scoperto, dopo qualche giorno, che era stata assorbita da una più grande, e questa seconda da una più grande ancora. Mi stavo scoraggiando. Per trovare Goffredo non avevo altre vie: solo la banca, malgrado il cambio di intestazione, poteva avere l'indirizzo del vecchio cliente.

La sede centrale era un blocco di marmo tra blocchi di marmo, nel cuore della città. Qui preghiere, pianti, ricatti, svenimenti non sono serviti a niente. Mi hanno fatto tornare più volte, e alla fine mi hanno liquidata dicendomi che Colin Goffredo per loro non esisteva.

Forse nel viavai e negli incroci delle alleanze bancarie, generalità e documentazione di un ex cliente erano sparite. Dunque tutto quel mio daffare era finito contro un muro. Forse, riflettei, è la sorte che mi spinge a rinunciare. È come se l'angelo custode mi mettesse il bastone fra le ruote giudicando un errore la mia caccia a Goffredo.

Non mi restava che mettermi l'anima in pace. D'altra parte cosa avrei ricavato dall'incontro? Sapevo in cuor mio che mai avremmo potuto tornare indietro. Ci saremmo visti, lui sarebbe stato felice della mia resurrezione, avremmo ricordato i tempi belli censurando accuratamente drammi e dolori. Nel migliore dei casi ci saremmo salutati dopo una cenetta annaffiata da una bottiglia di Arneis: rituali a cui potevo rinunciare tranquillamente.

Mi tormentava non avere modo di fargli sapere che stavo bene, e che non doveva più sentirsi in colpa. Mi bastava mandargli un telegramma, o fargli una semplice telefonata. Ma niente da fare, il capitolo era chiuso.

Strano, proprio quando si chiude la porta a chiave, e quindi non si ha più paura, riprendiamo coraggio fino al punto che ci viene voglia di riaprirla e affrontare l'imprevedibile.

Senza che me ne accorgessi si riaccendevano nella

memoria i terribili giorni degli scontri e della gelosia, delle rivelazioni, del dolore e della violenza.

Fu un terremoto assordante, intorno a noi crollava ogni cosa. All'epoca non potevo accettare di essere totalmente esclusa da lui. Avevo perso la testa. Oggi non agirei più così, gli ho negato l'amore da inguaribile egoista. Tanto davo, tanto volevo. Non sentivo ragioni. E sono impazzita.

Pensare a quei momenti mi faceva bene e male. Bene, perché mi spurgavo dai veleni accumulati. Male, perché capivo di aver irreparabilmente sbagliato facendo soffrire le persone più care.

* *

Per non inseguire le ossessioni e pensare ad altro, ho accettato il lavoro che mi ha trovato mia madre, tutto sommato il meno gravoso: mezza giornata nell'ufficio amministrativo del supermercato a occuparmi di stipendi, e proprio a due passi dal mio palazzo. Niente di definitivo, un lavoro in prova aspettando una migliore occasione.

Per festeggiare il primo stipendio ho portato mamma al ristorante sotto lo svincolo autostradale, a due fermate di autobus, un piccolo locale in stile campagnolo, odoroso di legna bruciata, pochi tavoli con le tovaglie color senape. C'erano anche le tagliatelle con il tartufo nero e la panna, invece mia madre non vedeva l'ora di gustare i tortellini bolognesi, il piatto preferito anche di mio padre.

Era bella con lo scialle bordeaux e la spilla di perline disposte a cuore. Ha parlato tutta la sera dei corteggiatori da cui si è dovuta difendere negli uffici postali.

«Se ti sentisse papà!» le ho detto.

E lei, ridendo, mi ha risposto: «Lascialo stare papà... me ne ha fatte di tutti i colori!».

«E tu non gli dicevi niente?»

«Lui negava, negava. Ma io sapevo che mi metteva le corna senza badare a spese.»

«Sì, ho capito... ma tu non ti ribellavi?»

«All'inizio ho molto sofferto. Poi quando mi sono resa conto che non c'era niente da fare... be', pazienza!»

«Come pazienza?»

«Che potevo fare, ero innamorata, cotta come un pesce bollito. Non l'avrei mai lasciato per nessuna ragione al mondo. Era la mia vita, e della vita si tiene ogni cosa, il dolce e l'amaro. E poi, alla fine contano i fatti... io e tuo padre ci siamo amati come pochi oggi a questo mondo, abbiamo fatto una bella figlia, non ci siamo mai separati nemmeno per un giorno.»

L'ho guardata a lungo, in silenzio, perplessa. Allora ha aggiunto: «Lo so cosa stai pensando... a costo di diventare rossa ti dico che a letto facevamo faville!».

Non ho retto, sono diventata rossa io, lei no. E sono scoppiata a ridere, mentre mamma annuiva.

«Allora che bisogno aveva di tutte le altre?»

«Valli a capire certi uomini... forse aveva una passione sfrenata per l'amore irrispettoso.»

«Cioè?»

«Forse con me non aveva il coraggio di mostrarsi come una bestia, come un forsennato del sesso, chi sa!»

«Non farmi ridere... papà un forsennato del sesso...»

«Io a letto con le altre non l'ho mai visto. Che ne so. Forse quelle femmine non le baciava nemmeno, pensava ad altro. Era così anche quando l'ho incontrato e mi sono innamorata di lui. Magari, se col matrimonio fosse cambiato, avesse messo la testa a posto, non mi sarebbe più piaciuto. Chi può dirlo?»

«Altri tempi» ho detto mestamente. «Altri tempi!»

E lei ha concluso: «Certo, altri tempi. Oggi ci sono più amanti che mogli!».

Questa conversazione ha provocato una cicatrice profonda dentro di me, oggi posso dirlo con certezza. Non c'era nulla di casuale nelle parole di mia madre: faceva finta di parlare di sé, ma parlava di me. Fissandomi negli occhi.

Quella notte stessa, decisa a riporre le foto nella scatola per riportarla in cantina, le ho sfogliate per l'ultima volta. Gli occhi mi sono caduti sull'istantanea che ritraeva me e Goffredo accanto alla Ford azzurra.

Ho avuto un'illuminazione improvvisa. Mi sono chiesta che fine avesse fatto la macchina. Ci era molto affezionato, chi sa se la teneva ancora, magari chiusa in garage. Probabilmente rintracciando la Ford avrei potuto risalire a Goffredo.

La targa si vedeva bene, appena profilata rispetto all'obiettivo della macchina fotografica. Ho svuotato i cassetti per cercare una lente d'ingrandimento, mio padre ne aveva una per leggere le minuscole scritte stampate sui prodotti che doveva vendere. Ho trovato solo la lente scalcinata di un vecchio paio di occhiali, che ingrandiva un po' le immagini. Sono tornata sulla foto, ho messo a fuoco la targa e ho copiato il numero su un foglietto.

* * *

Sono ricominciati pianti, bugie e suppliche. Avevo appreso negli uffici della motorizzazione che quella Ford era stata mandata allo sfascio in una città del Nord, vicino al confine con la Svizzera. Sono riuscita ad avere l'indirizzo dell'officina dove era stata distrutta la macchina.

Qualcosa avevo in mano, anche se poco. Come potevo collegare l'indirizzo dello sfasciacarrozze con quello di Goffredo? Ho pensato che sicuramente, da qualche parte, c'era un documento che attestava la cessazione della proprietà.

Goffredo era andato nell'officina, aveva consegnato la macchina con i relativi documenti, compreso forse il libretto di circolazione, e se n'era andato. Su quelle carte doveva esserci la sua residenza.

Insomma qualche speranza balenava. Solo che ero costretta ad andare fin lassù. Difficile per posta, o per telefono, risolvere la questione. Mi toccava rifare la stessa solfa, convincere pietosamente un impiegato a scartabellare negli archivi.

Ho detto a mia madre che era maturo per me il momento di fare un viaggio, di pochi giorni, per cambiare aria, vedere altre case, altre strade, e cavarmela da sola.

«E con il lavoro come fai?»

«Lo lascio, non mi piace. Me ne troverò un altro più in là. Adesso è importante che esca di casa e provi ad arrangiarmi.»

«Sì» ha detto. «Se senti che ti devi muovere, vai pure. Parlo io con i proprietari del supermercato. Magari poi ti riprendono. Dove pensi di andare?»

«In un bel posto sotto le Alpi. Ho voglia di vedere le montagne e soprattutto di camminare tra gli alberi!»

«Ma hai deciso dove?»

«Vedrò!»

«Tanto hai la carta di credito... non badare a spese, abbiamo una bella riserva. L'unica cosa che ti chiedo è di farti viva con il dottor Stigliani prima di partire. Domandagli se per ogni evenienza è meglio che porti con te qualche medicina.»

«Sì, pensavo proprio di telefonargli!»

E così ho fatto. Stigliani mi ha detto che non avevo bisogno di nulla, anzi che dovevo difendermi dalla paura di avere paura. Potevo partire serena e comunque lui era sempre raggiungibile, sia per telefono che per posta.

Ho individuato un albergo piuttosto lontano dallo sfasciacarrozze, ma vicino alla stazione. Ho prenotato per un minimo di due notti e riempito una grossa valigia. Chi sa perché, ci ho messo dentro anche le foto dove compaiono Goffredo e la vecchia Ford azzurra. La mattina alle sette mi sono fatta accompagnare da un taxi in piazza della Ferrovia. Prima tappa Milano, poi ancora due cambi di treno.

* * *

L'Hotel Royal era tutto plastica e acrilico, neanche mio padre ci avrebbe mai messo piede. La mia camera, al sesto piano, aveva un solo mobile bianco che occupava tre pareti: l'armadio proseguiva e diventava spalliera del letto con i comodini, un pezzo unico. Il televisore era posato su una mensola alta, sopra lo specchio. Se camminavi a piedi nudi sulla moquette blu, rischiavi di correre al pronto soccorso per un'iniezione di antistaminico. Fortunatamente dovevo restarci poco. La valigia non l'ho neanche svuotata. Mi sono fatta chiamare un taxi, e via, verso lo sfasciacarrozze.

La signora che comandava, nel vedermi, ha avuto subito un gesto di noia. Le ero antipatica per il semplice fatto di esistere. Appena ho spiegato cosa mi serviva è scoppiata in una forte risata e, sempre ridendo, se n'è andata senza dirmi neanche una parola, come fossi una pazza.

Ma c'era anche un signore dai fianchi pesanti, con la cravatta che si intravedeva appena sotto la tuta da meccanico. A lui invece ero rimasta simpatica. Si è rivolto a me pescando nel suo vocabolario le parole più fini.

«Che le serve, signorina? Lo sa che lei è molto bella?»

Se mi sbottonavo ancora un po' la camicetta mi avrebbe personalmente accompagnato con la sua macchina in casa di Goffredo e avrebbe aspettato fuori tutto il giorno per poi riportarmi in albergo. Mi sono sentita la parrucchiera amica di mio padre.

Gli ho spiegato che stavo cercando una persona a cui era morto il padre. L'unico indizio che avevo era la targa della sua macchina mandata allo sfascio in quell'officina. Avevo urgentissimo bisogno di sapere dove abitava il padrone di una Ford azzurra che era stata distrutta lì anni prima.

Ho estratto dalla borsetta il numero di targa dicendo che bisognava raggiungere quella persona prima che si celebrasse il funerale.

C'è voluto mezzo pomeriggio per avere l'indirizzo dell'autosalone che aveva consegnato loro la macchina. Allora quel bottone della camicia l'ho liberato dall'asola e un'ora dopo, insieme al meccanico in cravatta, ero davanti alla scrivania di un impiegato dell'autosalone.

Il proprietario della Ford azzurra, tale Colin Goffredo, aveva in effetti acquistato nell'autosalone una Renault Mégane, lasciando lì la sua vecchia e scassata vettura, che non valeva quasi più niente. Dalle carte in loro possesso risultava che Colin Goffredo risiedeva a Nevada, una città ancora più vicina alle montagne, a una cinquantina di chilometri da lì, in via Luigi XIV, numero civico 47.

Chiedere al gentile meccanico di portarmi a Nevada sarebbe stato compromettente. Bastava che mi accompagnasse in albergo. E siccome mi ero impegnata per due giorni, invece di scappare subito via, volendo prepararmi spiritualmente all'incontro con Goffredo, sono rimasta lì tutto l'indomani.

Non lasciavo la camera se non per mangiare qualcosa giù al ristorante. Mi chiudevo a rileggere Angelica e a tenere a bada i battiti del cuore. Ho telefonato a mia madre per tranquillizzarla, e poi più niente. Leggevo, dormivo e mi risvegliavo, senza neanche domandarmi se era giorno o notte.

* * *

Sono arrivata a Nevada con il trenino dei pendolari, che non ha fatto sconti con le fermate. Frenava davanti a ogni stalla che incontrava nella corsa. Non mi dispiaceva viaggiare seduta accanto a montanari dagli zigomi riarsi, rossi come peperoncini. Mi sembravano appartenere a un'altra razza, a un altro mondo, anche se a sentirli parlare fra loro scoprivo che dicevano le stesse, identiche cose che dicono tutti. La differenza tra gli uomini ormai è solo nella foggia degli abiti. Lì i signori indossavano calzoni di velluto, e le signore gonne e pantaloni di felpa. Ma erano uguali alla gente che nella mia città, seduta al bar, si sventolava la faccia sudata con il giornale locale.

Questa volta l'albergo volevo sceglierlo dopo averlo visitato. Non ne ho trovato uno che mi entusiasmasse. O erano lussuosetti ricoveri per gente anziana, o pensioni per malavitosi di passaggio, di basso rango.

Il Rescator, malgrado si fregiasse solo di due stelle, aveva l'aria di essere pulito e silenzioso, forse perché si trovava un po' lontano dal centro. E comunque, non gli mancava nulla, compresa un'utile trattoria annessa.

Ho chiesto una camera doppia uso singola. Me l'hanno data al quarto piano, l'ultima del corridoio. E quando il portiere mi ha chiesto per quante notti pensavo di restare, ho risposto tutto d'un fiato: il meno possibile.

Sono salita dopo aver preso dal bancone la mappa della città. Non male, il letto era grande e le pareti avevano una tappezzeria a fiori. Ero sicura che aprendo la finestra mi sarei estasiata ad ammirare il panorama. Invece c'era il muro della casa di fronte, a distanza di un braccio.

Via Luigi XIV, nonostante l'araldica del personaggio a cui è stata dedicata, era uno stradone ai margini della città, abbastanza recente. Il tassista, prima di portarmi lì, mi ha studiato a lungo dalla testa ai piedi. Il numero 47 corrispondeva a un palazzo, forse degli anni Settanta, senza neanche un balcone, e il cemento dell'intonaco aveva da tempo sopraffatto il giallo paglierino con cui era stato dipinto. Tante antenne, tanti condizionatori e alcune parabole inchiodate fuori dalle finestre.

Non ci credevo. Come poteva essere finito lì Goffredo, in quella città sperduta, in una strada tutto sommato popolare, dove non mancavano centri commerciali e uffici pubblici, in un palazzo che ospitava solo la ciurma della nave e gli schiavi addetti ai remi?

Ogni volta che lui sognava di lasciare la nostra città, nominava sempre Londra o New York. La Ford azzurra mi aveva invece condotto nella periferia umana, in un quartiere senza nome, come molti altri nel nuovo mondo anonimo, ben pettinato ma senza anima. Sì, perché vedevo vasi di gerani a molte finestre, posti macchina per tutti, grandi negozi e boutique griffate da grandi firme: Prada, Missoni, Trussardi, Armani, Camper, e perfino Ferrari.

Ma che c'entrava Goffredo con tutta quella roba che era il contrario di lui? Chi l'aveva portato in quel posto? Senz'altro un amore accecante, una passione capace di rivoltargli la vita. Nella sfilza dei campanelli compariva il suo nome: Goffredo Colin, interno 22.

Mi sono guardata dal premere subito il campanello. Sono andata dall'altra parte del viale sperando di vederlo uscire o rientrare in casa. Camminavo su e giù col cuore sbraitante. Ma il mio comportamento, singolare rispetto alle consuetudini del quartiere, è stato subito notato dai negozianti e dai portinai. Mi spiavano con sospetto, come fossi una scimmia al Polo Nord.

Allora ho fatto un po' di giri per confondermi con i passanti, che purtroppo scarseggiavano. Non era un quartiere dove perdersi con le mani in tasca, passeggiare senza meta. Mi sentivo continuamente osservata, così ho deciso di prendere il toro per le corna e suonare il maledetto campanello.

«Chi è?» La voce era di una donna.

«Mi chiamo Angelica» ho risposto. «Sono un'amica di Goffredo. C'è Goffredo?»

Ho sentito lo scatto del portone che si apriva. Ho suonato ancora: «Che piano?».

«Quinto, interno 22.»

Ho preso l'ascensore, stretto e soffocante come una bara, e quando sono uscita al quinto piano mi sono trovata di fronte una donna giovane ma disfatta dalla quotidianità. Aveva gli occhi bellissimi, di un verde intenso, e un corpo magnifico, se solo avesse avuto coscienza di sé. Peccato la pancia, leggermente piena, che bombava un poco la maglietta di seta grigia. Mi ha fatto entrare scusandosi del disordine.

*
* *

45

Era la classica casa in cui non si invita mai nessuno, non pensata per occhi estranei. Il disordine aveva una logica basata sulla praticità. Ho subito notato una carrozzina, parcheggiata all'ingresso. La donna mi ha preceduto nella sala da pranzo, dove c'era un divano alquanto unto, quasi attaccato al tavolo.

«Si accomodi. Ha detto che si chiama Angelica, ho capito bene?»

«Sì, Angelica. Il lavoro mi ha portato, ma solo di passaggio, qui a Nevada, sto all'hotel Rescator...»

«Ho capito.»

«Ho pensato di fare una sorpresa a Goffredo. Siamo stati molto amici quando eravamo ragazzi. Lei è...»

«Io sono la moglie, mi chiamo Rachele. Goffredo a quest'ora è al lavoro, tornerà stasera. Mi dispiace. Vuole qualcosa da bere?»

«Grazie, solo un bicchiere d'acqua.»

La donna è sparita in cucina ed è presto tornata con il bicchiere. In quel piccolo intervallo volevo morire.

«Mi scusi, signora, forse sarebbe stato meglio telefonare prima... non è bello presentarsi così, all'improvviso, e senza niente in mano!»

«Non si preoccupi. Le confesso che sono molto contenta di incontrare qualcuno che ha conosciuto Goffredo molto prima di me. Starei ore a sentirla parlare di lui, di quando ancora non lo conoscevo. Lo sa bene, Goffredo fa molta fatica a parlare di sé, è un tipo chiuso, taciturno. Per tirargli fuori una parola ci vogliono le pinze!»

Strano, era sempre stato estroverso e soprattutto narcisista. Cosa gli era successo, perché un cambiamento così radicale?

Guardavo la bella donna, che meritava senz'altro una migliore cornice, quasi con invidia: era riuscita a domare una personalità come Goffredo, che si annoiava se non si parlava di lui.

«Le dico la verità, Rachele, non mi sarei mai aspettata che un giorno Goffredo si sarebbe sposato. Non perché fosse stravagante, ma perché per le donne, malgrado la sua avvenenza, non ha mai avuto grande interesse. Piaceva molto alle mie amiche, e le dirò, anche a me. Solo che lui non sembrava voler intrecciare rapporti duraturi con le ragazze. Sto ovviamente parlando di una vita fa!»

«Mi meraviglio che lei mi dica così. Io non conosco donna che semplicemente incontrandolo non si senta piegare le ginocchia. Mi confessi, Angelica, lei è stata innamorata di mio marito. Guardi che non mi sorprende, lo troverei naturale. E poi se è venuta qui a trovarlo...»

Niente da fare, più lei parlava più andavo convincendomi di avere sbagliato indirizzo. Sorseggiavo acqua e avevo la netta sensazione di essere entrata nel teatrino degli equivoci, di aver preso una cantonata.

«Scusi, signora, vediamo se stiamo parlando della stessa persona. Quando l'ha conosciuto lei, Goffredo?»

«L'ho conosciuto qui a Nevada, ci siamo amati, ci siamo subito sposati e abbiamo anche una bambina. Dorme di là come un angioletto.»

«Aveva una Ford azzurra?»

«Sì, azzurra ma molto scassata. Però non era un poveraccio: aveva da poco venduto una casa e ci siamo comprati questa. È sicura di essere stata amica proprio di mio marito?»

«Signora, io so con certezza che il mio amico Goffredo ha venduto la sua casa, aveva una vecchia Ford azzurra a cui era fortemente affezionato e certamente non sbavava dietro le ragazze.»

«Lo sapeva che era alcolizzato?»

«Alcolizzato?»

«Sì, sono stata io, piano piano, a farlo uscire dall'abisso dell'alcol. Lo sapeva o no? Parliamo tra donne, per favore.»

«Giuro che non l'ho mai visto particolarmente attaccato all'alcol. Però non mi sento di escludere che l'abbia scoperto dopo che ci siamo persi di vista. Aveva tutte le ragioni per rifugiarsi nell'alcol.»

«Perché, secondo lei?»

«La vita è stata crudele con lui, non posso dirle di più!»

«La vita è crudele con tutti. Io so soltanto che la nostra unione, diciamo anche il nostro amore, ha rimesso ogni cosa al suo posto. Adesso lui è un essere felice, conduce una vita tranquilla, lavora dalla mattina alla sera, e non chiede niente a nessuno!»

«Se stiamo parlando della stessa persona, le faccio i miei complimenti. La invidio, lei deve avere un carattere e una forza che io, in me, non avrei mai trovato.»

«Non ho fatto nulla di speciale. L'ho solo amato, e accettato per quello che era: un uomo disperato, che trovava se stesso bevendo. Io ho semplicemente preso il posto dell'alcol, per il resto non credo di aver troppo influito.»

Sono rimasta zitta per un po'. Le parole di Rachele stavano sconvolgendo la mia testa. Vedevo Goffredo, che dopo essersi rassegnato al pessimo esito della mia malattia, distrutto dalla colpa, aveva cominciato a bere. Solo l'alcol, o la droga, hanno il potere di farti staccare la spina dai problemi irrisolvibili della coscienza.

E quando non ha potuto più sopportare l'irridente assalto dei fantasmi, ha venduto la casa ed è fuggito lontano. Un bel giorno incontra Rachele, che lo rimette sui binari della normalità, in pace con se stesso. Lei riesce addirittura a farlo diventare padre, realizzando un sogno impossibile, quasi contro natura per una personalità contorta come Goffredo.

Io, senza volerlo, lo stavo trascinando in una direzione senza sbocco. Ma chi era Rachele, da dove veniva? Glielo chiesi, prendendola alla larga.

«Come vi siete conosciuti?»

«Mi stavo separando dal mio primo marito quando ho incontrato Goffredo. Ero uno straccio, però, santo Dio, mi sentivo libera, finalmente la mattina potevo dormire fino a tardi e rientravo la notte quando mi pareva. L'avvocato ha fatto lasciare a me la casa, anche se era in affitto... ma tanto la pagava lui. Ho subito buttato i mobili brutti e ho tenuto solo la cucina. Ho comprato un materasso, che ho messo per terra, un comodino, l'armadio me lo sono fatto dare dai miei genitori, e uno specchio. Basta! Del tempo passato con quel deficiente non c'era rimasto nulla. Dimenticare è sempre una grande fatica! Quando due si sposano riempiono la casa di mobili, mobiletti e soprammobili... più la roba cresce più credono di crescere loro. Invece non fanno altro che affogare, e alla fine ti manca l'aria. Appena sono rimasta sola ho buttato via anche i ricordi e i souvenir, e ho riaperto le finestre. Il mio primo marito adesso neanche lo ricordo, quando penso a lui mi viene il mal di stomaco. Anzi, quando mi viene il mal di stomaco mi dico: cazzo sto pensando a lui!»

Rachele l'aveva presa molto alla larga, sembrava che non aspettasse altro per dare la stura alle parole. Ho capito che parlava poco con Goffredo, che non era abituata a confidarsi. Adesso approfittava della mia curiosità. L'ho interrotta.

«Ma Goffredo gliel'ha detto come mai è capitato qui a Nevada?»

«Sì, dice che ha tirato in aria la monetina!»

«E lei invece che pensa?»

«Che è stato il mio destino a tirarlo qua. Io ci credo

a queste cose. Avevo bisogno di uno come lui, e lui è arrivato.»

«Dove l'ha incontrato?»

«In un localaccio dove servivo da bere ai tavoli, si chiamava La bettola del Corsaro Nero, ora non c'è più, l'hanno chiusa i carabinieri. Vedo entrare un uomo bello, solo e silenzioso, puzza un po' di vomito... lo accompagno a un tavolo. Lui non lo vuole, ne vede un altro dove non funziona la luce che viene dal soffitto. Si siede lì al buio e chiede un gin e un'acqua gassata. Gli occhi ce li aveva già lucidi, chi sa quanto aveva bevuto. Ho provato a fargli qualche domanda, mi scacciava con la gamba tesa, senza aprire bocca. Ho capito che era un tipo nervoso, e me ne sono fregata.

L'ho rivisto qualche notte dopo, era meno ubriaco, s'era lavato da poco, aveva i capelli ancora bagnati. Ha preso una birra, e io mi sono messa a ridere... una birra? Lui ha fatto una smorfia e m'ha detto che voleva imparare a non bere più, che voleva comprarsi una casa qui a Nevada, che cercava moglie... Quando chiudi ti aspetto fuori, m'ha detto, facciamo un giro.

Appena salita sulla macchina gli ho detto: caspita, Goffredo, ma vai in giro con questa carretta? E lui: tanto domani la cambio con una Renault nuova nuova, grigia... così quando passo non si gira nessuno. E poi mi ha chiesto se ero sposata. Gli ho risposto che il mio matrimonio ce l'aveva in mano l'avvocato e che comunque nella vita è meglio sposarsi una volta sola.

Goffredo mi guarda in faccia e mi dice: io non mi sono mai sposato quindi posso farlo... ci vuoi fare un pensierino? Mi sono piegata in due dal ridere, non mi era mai capitato che un uomo, invece di chiedermi di andare a letto con lui, mi dicesse che voleva sposarmi.

Come mai hai scelto me?, gli ho chiesto. Mi ha risposto che era stata la monetina. Quella notte non mi ha neanche toccato. Strano, ho pensato. Non ci crederà, Angelica... quelle quattro cazzate buttate lì quella notte come una barzelletta si sono avverate. Di più, abbiamo fatto una bambina bellissima, Severina, un nome che ha scelto lui, io non ero d'accordo, però adesso mi ci sono affezionata.»

* * *

Il racconto di Rachele mi ha rattristato. Non ero stata chiusa in ospedale cinque anni, ma un secolo. Questa per lo meno l'impressione che ho avuto sul momento. Il ritratto di Goffredo fatto da Rachele mi suggeriva un naufrago travolto dalla tempesta. Era un'altra persona.

Nella camera accanto la bambina ha cominciato a frignare, la madre è corsa a prenderla in braccio. Le ha infilato in bocca un ciuccio per farla stare zitta.

«Guardi com'è bella... somiglia al padre!»

Ho fatto qualche moina, la piccola succhiava e mi fissava con diffidenza, gli occhietti spalancati. Ho dovuto girare la testa e distrarmi perché avevo paura che mi leggesse nel pensiero, e fosse anche capace di parlarmi con la voce grossa, sempre tramite telepatia: una brutta sensazione, da film di fantascienza.

«Sì, è proprio bellissima» ho detto. «Adesso però vado, sono stata fin troppo invadente.»

«Spero di rivederla, magari nel pomeriggio tardi, dico a Goffredo di venire a casa prima. La inviterei a cena, ma sa... con la bambina...»

«La ringrazio, non si disturbi. Sono di passaggio, devo ripartire. Me lo saluti, gli dica che Angelica lo abbraccia tanto. Verrò a trovarlo in un'altra occasione. L'ultima volta che ci siamo visti stavo male, un problema di nervi. Mi faccia il favore, dica a Goffredo che è tutto passato, che sto benissimo e gli dica anche che mia madre lo ricorda e lo saluta con tanto affetto!»

«Glielo dirò, certo. Però veramente spero che possiamo rivederci. Peccato che non rimanga... Nevada non è bella, ma i dintorni sono magnifici, le Alpi cominciano proprio qua dietro. A pochi chilometri c'è una bella cascata, ci sono i daini... e i boschi. Se ritorna, resti almeno una settimana.»

«Perché no... Purtroppo devo ripartire subito, se ripasso da queste parti... mi piacerebbe.»

«Ce la portiamo noi alla cascata, ci portiamo anche Severina...»

«Va bene!»

«Le posso dire una cosa, Angelica?»

«Prego.»

«Si vede che lei è una bravissima persona. Sono tanto contenta che Goffredo abbia avuto amici così. Mi ha sorpreso... non l'avrei mai detto!»

«E perché?»

«Non lo so. Della sua vita non racconta mai niente... allora ho fantasticato da sola e francamente non pensavo che potesse conoscere una donna come lei.»

«Quando lo frequentavo io non andava in giro con la monetina in tasca. Si vede che è cambiato!»

«Angelica, per favore, apra quel cassetto... il primo» mi ha chiesto cullando la bambina.

Mi sono avvicinata al buffet, ho allungato la mano verso il primo cassetto.

«Questo?»

«Sì, apra!»

Dentro c'erano quaderni, registri e qualche ricevuta.

«Lo vede l'album delle fotografie?»

«Sì, eccolo!»

Era di vilpelle marrone chiaro. L'ho posato sulla tavola da pranzo.

«Purtroppo sono poche, ma ci sono le foto di Goffredo, solo quelle del matrimonio che ci ha fatto mio fratello. Lo apra... così vede com'è cambiato...»

Non mi aspettavo questa improvvisa sortita. Volevo lasciare lì tutto e scappare a gran velocità. Invece restai immobile, inebetita.

«Guardi pure!»

Con un grande sospiro ho sollevato la copertina dell'album. Ho passato velocemente in rassegna le foto, forse con troppo nervosismo. Non c'era il volto di Goffredo, o non lo riconoscevo.

Rachele mi fissava, sulle labbra un sorriso a metà.

«Non l'ha visto?»

«No, ma sono andata troppo veloce!»

Ripresi a sfogliare con più calma e Rachele mi venne vicino.

«Eccolo! Qui stiamo per entrare al ristorante. Non è elegantissimo, ma lei lo sa... per mettergli addosso un abito decente bisogna fargli prima un'iniezione di Valium!»

Nella foto comparivano gli sposi accanto a una colonnina di mattoni rossi. Rachele era più magra e indossava un impossibile abito bianco che le arrivava alle ginocchia, un mazzetto di fiori d'arancio in mano.

Spalla a spalla c'era il neomarito, un uomo dall'aria scapestrata, i capelli neri e disordinati. Si vedeva chiaramente che era un ex alcolizzato, sembrava chiedersi cosa stesse facendo lì e chi era quel tizio che gli scattava la fotografia. Aveva un completo sbilenco, scuro, appena uscito dal negozio, probabilmente con le tasche ancora cucite, e la cravatta bianca non gli arrivava alla cinta.

Quel Goffredo era l'esatto contrario del mio Goffredo, dalla testa ai piedi.

Rachele mi ha scrutato attentamente.

«È rimasto uguale?»

Il cervello mi era andato in corto circuito.

«Lo troverà un po' invecchiato...»

«No, no» risposi balbettando. «È rimasto lo stesso.»

«Non sono venuta male, è vero? Sto un po' storta perché mi faceva male la scarpa sinistra. Glielo avevo detto a mia madre, è meglio un numero più grande... le spose non si siedono mai e i piedi si gonfiano.»

«Sta benissimo... si vede che è felice. Mi scusi, ma devo proprio correre!»

Capitolo IV

Dopo aver deciso che non voleva impazzire, Angelica trascorreva il tempo a domare i turbolenti pensieri che la affliggevano. Respingeva la speranza come pure lo scoraggiamento e la ribellione, volendo lasciare posto solo alla pazienza e alla serenità.

Era il mio stato d'animo, identico a quello della contessa in un momento decisivo della sua vita. Mi sembrava di impazzire, sono stata a un passo dal chiamare il dottor Stigliani al telefono per chiedere aiuto. Avevo il terrore di ripiombare ancora nella malattia. Le ho pensate tutte: omonimia; un errore nei documenti della motorizzazione; un incastro beffardo di coincidenze... Mi annodavo sempre di più, come un baco da seta. Ho provato a convincermi che era stato un delirio, o il sogno della notte precedente. Oppure semplicemente avevo letto male il nome sul citofono, capitando in un appartamento dove il caso aveva voluto, e solo il caso, che vi abitasse un altro signore di nome Goffredo. E la Ford azzurra? Quella di Goffredo non era certo l'unica in circolazione.

L'attacco di panico era lì, a un passo. Mi domandavo se la malattia mentale non sia altro che entrare in un mondo assurdo e viverlo come normale, un mondo fatto di coincidenze impossibili ma così ben legate tra loro da costituire un universo coerente, del tutto credibile. Così quando il malato parla si riferisce a sue verità inconfutabili, e chi invece l'ascolta si perde in ciò che per lui è solo caos. In questo modo i malati sono due: il medico per il paziente e il paziente per il medico.

E pensare che il dottor Stigliani mi aveva detto di non portare con me medicine, perché stavo benissimo. Mi aveva anche avvertito di non aver paura della paura. E io invece, chiusa nella stanza d'albergo, davanti a un tè che si era intiepidito senza che l'avessi nemmeno assaggiato, controllavo faticosamente i miei nervi.

"Devo scappare" ho detto a me stessa, "ma non con le gambe, con la mente. Mettiamo ordine e decidiamo sul da farsi. Dunque: perché stare qui a spaccarmi il cervello per una questione che non mi riguarda più? Perché devo sapere a tutti i costi chi è questo e chi è quello, quando non ne ricavo il minimo vantaggio? Tu sei stata innamorata di Goffredo, se oggi lo incontrassi avresti qualche speranza?... Neanche una. Sono passati troppi anni, e poi lui è scomparso, ti ha lasciato morire. Allora: non stai perdendo il tuo tempo? Guarda avanti, come dice tua madre. Innamorati di qualcun altro... e vivi felice. Allora, se le cose stanno così, è meglio cancellare tutto dalla mente. Faresti bene piuttosto a guardarti allo specchio, e a renderti conto che non sei fatta di sola anima. Inchioda la bara e mettila sottoterra. Però poi basta, pensa a vivere... e se la vita devi rapinarla, chiudi gli occhi e buttati. L'alternativa è la malattia mentale."

Detto fatto. Ho bevuto il tè che ero già più tranquilla, razionale. Ho telefonato al medico e a mia madre per dire loro che stavo benissimo, e che avevo deciso di allungare la mia vacanza per riscoprire la purezza e l'innocenza della natura.

"Ecco, comincia oggi la mia vera convalescenza!"

* * *

L'indomani mattina, dopo aver detto al portiere del Rescator che sarei rimasta ancora per alcuni giorni, sono andata a comprare una piccola macchina fotografica e, come un'anonima turista, ho preso la navetta per una gita dalle parti della cascata.

Ho passato tutto il giorno a salire e a scendere le mulattiere, superando e facendomi superare dagli altri turisti, nel furioso e strepitante rincorrersi degli uccelli. E quando sono arrivata ai piedi della cascata, invece di godermi lo spettacolo, ho tremato dal terrore. L'acqua precipitava giù feroce, consumando quasi a vista d'occhio le rocce levigate come una testa pelata. Il rumore era da apocalisse, un frastuono distruttivo, crudo. Gli spruzzi che schizzavano dal getto della cascata venivano giù violentissimi. La polvere d'acqua vorticava con un mugghio che sembrava un lungo, eterno pianto, il lamento di un coro greco.

Sono scappata verso una macchia di sole stampata su un pianoro verde, al limitare del bosco. Lì mi sono sdraiata a terra a guardare due nuvolette bianche che si abbracciavano. Le ho fotografate, e ho fotografato un fiorellino rosa che stava vicino a me, solitario e continuamente visitato dagli insetti.

Ho saltato il pranzo e, prima che il sole toccasse le montagne, sono tornata a Nevada. Giunta in albergo, il portiere mi ha comunicato che un signore era passato a cercarmi.

«Ha lasciato detto qualcosa?»

«No, niente, l'ha aspettata per un po' seduto sul divano, ha gironzolato, poi è uscito ed è ritornato. Alla fine se n'è andato senza dire niente.»

«Neanche come si chiama?»

«No.»

«Va bene, grazie.»

Le tempie mi battevano un po'. Il tizio che mi aveva cercato non poteva essere altri che il marito di Rachele. Mi ricordavo infatti di aver detto a lei dov'ero alloggiata. Sono rientrata in camera, intenzionata ad assopirmi nell'acqua calda del bagno. Mi sono guardata intorno, c'era qualcosa che non andava, non riconoscevo il mio ordine, e la zip della valigia non era chiusa completamente. È una mia mania completare sempre il giro della lampo. E poi il tappetino non stava più vicino al letto ma sotto, ne sbucava fuori solo un angolo.

D'istinto sono corsa alla porta per chiuderla a chiave. Ma forse mi sbagliavo, stavo inventando una brutta favola. Mi sentivo la testa confusa: l'incontro con l'impetuosità della cascata mi aveva frastornata.

Ho aperto il rubinetto della vasca e spalancato le tende della finestra. Mi sono lasciata raddolcire dalla luce del tramonto, e ho staccato la spina.

"Se vuole parlarmi, tornerà!"

Per la cena ho scelto un locale meridionale che avevo visto dalla navetta andando in montagna. Stava all'interno di un cortile, e c'era anche un pergolato di viti, che erano di plastica. Ci potevo arrivare facilmente a piedi. Il cielo era di un bel blu oltremare, di una notte che non vuole scendere. I lampioni accesi smorzavano un poco l'atmosfera tetra di palazzi in divisa e sull'attenti. Avevo fame.

Fatti pochi passi, mi è venuto il dubbio che l'uomo poteva avermi aspettato fuori del Rescator e ora mi stava seguendo a distanza. Ho accelerato accostandomi di più al muro. Mi sono girata e non ho visto nessuno, allora mi sono data della matta. Ogni tanto sfrecciava una macchina. Solo una volta è passata una Renault grigia.

Purtroppo al ristorante meridionale di buono c'era solo l'olio, che tra l'altro era toscano. E i grappoli d'uva che pendevano dalle viti erano ovviamente finti. Mi sono deliziata a intingere il pane nell'olio versato sul piatto.

Sono tornata in albergo a passo svelto, cadevo dalla stanchezza. La passeggiata in montagna era stata dura, ma ero intenzionata a ripeterla l'indomani, in un'altra valle.

* *

La mattina mi sono svegliata con la sensazione di aver fatto un brutto sogno, non avevo voglia di uscire. Mi aspettava una giornata inutile e penosa. Ho deciso di prendere un pullman. Ho sorseggiato un caffè al bar della piazzetta dove c'erano i parcheggi, proprio di fronte alla stazione della funivia. C'era un magnifico sole.

Quando sono uscita ho visto, all'angolo di una costruzione lunga e bassa dove si allineava una dozzina di negozi, un uomo appoggiato al muro, scuro di capelli, in jeans, camicia a quadri e giubbotto leggero. Si guardava le dita mentre con un'unghia puliva le unghie. Era il fantomatico Goffredo Colin, quello della fotografia nuziale.

Un caso o mi aveva seguito? Non mi conosceva, quindi non poteva avermi seguito. Io lo conoscevo, ma lui non mi aveva mai vista. Allora mi sono fatta coraggio e sono andata a vedere le vetrine dei negozi, proprio accanto a lui. Lo guardavo con la coda dell'occhio. Somigliava poco allo smarrito sposo in abiti borghesi. Era mostruosamente bello, il corpo agile e magro, lo sguardo insieme luminoso e malinconico.

Da lontano mi era apparso un po' losco, un ladro che faceva da palo a qualcuno. Visto da vicino, invece, forse per i lineamenti fini del volto e la gentilezza dei movimenti, ispirava affetto, come tutte le persone buone. Ogni tanto alzava la testa alla ricerca di qualcuno nella piazza. Gli mancava la chitarra a tracolla, avrei detto che era il Bruce Springsteen dei tempi d'oro.

Girandosi mi vede, mi squadra a lungo. Mi sento attraversare dai raggi X. Poi si apre in un sorriso dolcissimo, quasi infantile.

«Sei Angelica?»

«Come fa a saperlo?»

«Rachele t'ha descritto perfettamente!»

«No, lei mi ha riconosciuto perché mi ha visto nelle foto.»

«Di quali foto parli?»

«Di quelle che stanno nella mia valigia!»

«Cosa stai dicendo?»

«Non fa niente... Scommetto che lei è Goffredo, anzi Goffredo Colin!»

«Infatti. Vorrei sapere perché hai detto a mia moglie che siamo vecchi amici.»

«Mi sono sbagliata, non sei tu... scusami se ti do del tu... non sei tu la persona che cerco, sono incappata in un caso di omonimia... anche il mio amico si chiama Goffredo Colin.»

«Ho capito! C'è tanta gente che porta il mio nome. A casa mi arriva la posta di un avvocato di Varese che si chiama come me, sono ritagli stampa di un'agenzia. Può capitare. L'importante è che ora sia tutto chiarito.»

«Tutto chiarito!»

«Ti piacciono queste montagne?»

«Ancora non lo so.»

«Ci hai fatto un giro?»

«Ieri sono stata alla cascata... non mi è piaciuta. Oggi vedrò se mi piace questa valle, voglio prendere la funivia e salire su in cima.»

«Rachele mi ha detto che sei qui di passaggio, che dovevi ripartire...»

«Ci ho ripensato, qualche giorno di riposo mi serve, non sono stata molto bene in questi ultimi tempi.»

«È un'ottima idea. Visto che sei sola e che oggi non lavoro, posso accompagnarti io in montagna. La conosco bene, ti porto negli angoli più belli che neanche i turisti conoscono. Non siamo stati amici nel passato... potremmo diventarlo oggi.»

Non sapevo cosa dire, ho balbettato qualche parola che non era né sì né no.

«Su, andiamo!» tagliò corto lui precedendomi verso la funivia dopo avermi sfiorato la schiena con la mano.

La carezza, tenera, familiare ma anche violentemente autoritaria, ha sollevato un sipario. Di là c'erano l'orrore e la bellezza della vita, intrecciati come il piacere e il dolore, come l'amore e l'odio.

Non so quale forza, se direttamente legata alla natura umana o alle indecifrabili leggi del cielo, mi ha dato il coraggio di buttarmi a capofitto. Quella carezza è stata il primo passo di un viaggio su una nave senza nome e senza meta, la stessa che i coniugi Golon hanno destinato alla loro Angelica: non avrebbe desiderato per nulla al mondo trovarsi altrove. Rimpiangeva forse di non essere più la giovane contessa di Peyrac, nel suo castello, circondata da salamelecchi e ricchezze? Certamente no. Quel che preferiva era trovarsi là, su una nave senza nome e senza meta, perché quell'incubo aveva un sapore meraviglioso.

Viveva qualcosa di spaventevole e di magnifico nello stesso tempo, che divideva la sua anima. Sotto la trama delle incertezze e delle angosce conservava la speranza dell'amore, un amore così diverso da quello che aveva conosciuto fino a quel momento, che valeva bene la pena fosse partorito nel dolore.

* *

Se oggi racconto questa mia storia è proprio per ciò che mi accadde dal momento in cui incontrai l'uomo che oggi mi fa dire: Angelica, hai vissuto, sei esistita! Dio mette gli uomini al mondo perché imparino a districarsi nel male per cercare il bene. Forse hai più perso che vinto, ma non sei stata a guardare.

Per tutta la mattinata non seppi come chiamarlo, e glielo dissi.

«Scusa, ma devo trovarti un altro nome, Goffredo proprio non mi viene.»

«Fai tu!»

«Vorrei chiamarti il Moro... ma immagino che non ti piaccia. Oppure Bruce!»

«Salta il nome e vai al cognome: Colin, chiamami Colin come la mia maestra d'asilo.»

Giunti con la funivia in un pratone che mandava odore di caglio e di sterco di mucca, mi prese una mano e mi tirò via dal sentiero su cui tutti camminavano. Poi mi fece strada tra le pietre mostrandomi dove poggiare i piedi.

«Quelle scarpe di pezza» mi disse «sono buone per i balli all'Opera, non per la montagna.»

«Ieri non mi hanno dato problemi... oh, ma è pieno di tafani!»

«Sono dispettosi, non pungono. Più su non ce ne

sono, ma non puoi salire con quelle scarpe, ci ferme-remo in un rifugio qui vicino per bere qualcosa.»

«Posso non essere d'accordo?»

«No.»

Per godermi la giornata, l'aria, il sole fresco, la pace, evitavo meticolosamente brutti pensieri. Stavano lì, a un palmo da me, ma riuscivo a cacciarli via. E poi ero fortemente incuriosita da... lui. Mi attraevano la dimestichezza con cui mi trattava, il suo fare sicuro, e anche il tono ironico che usava nel parlare. Tutto ciò metteva da parte l'ingombrante Goffredo scomparso nel nulla.

Io presi un tè, lui un succo di mela. L'imbarazzo era inevitabile e gli argomenti per fare conversazione scarseggiavano, tanto più che Colin era molto reti-cente a parlare di sé. Provai a rivolgergli qualche do-manda sulla sua origine, sulla famiglia, ma vedevo che non gradiva, masticava poche frasi.

Quello che ho potuto carpirgli riguardava il suo la-voro. Era arrivato a Nevada con qualche soldo in tasca, all'inizio era andato ad abitare in un motel. Aveva af-fittato un grande capannone da usare come magazzino per chi non sa dove depositare mobili e suppellettili.

«Adesso il capannone l'ho comprato. Non immagi-ni quanta gente si rifiuta di buttare via la roba vec-chia. Quando cambiano casa e comprano mobili nuo-vi, tutto quello che avevano prima, invece di venderlo o buttarlo via, lo lasciano nel mio capannone pagan-do un affitto mensile. Dimenticano lì tutto anche per anni. Più dimenticano e meglio sto io. Campo sulla mancanza di memoria della gente. Conservo alcuni mobili senza più padroni, sono morti. Non so che far-ci. Mi verrebbe voglia di andare al cimitero e lasciarli lì, sulla loro tomba.»

Ci addentrammo in un bosco scosceso, sulle nostre teste passava la funivia e i bambini ci indicavano e ci salutavano come 'ossimo due scoiattoli. Colin mi mostrava i fiori più rari, le tane e i covi degli animali, i nidi degli uccelli e i piccoli misteri del sottobosco. Con un bastone ogni tanto batteva il terreno e i cespugli per allontanare eventuali vipere.

Mi sono divertita con la macchina fotografica. I colori più belli che ho visto, che mi hanno letteralmente incantato, sono quelli degli insetti. Si posavano sui petali dei fiori e sparivano dentro a cercare il cuore da pungere e succhiare. Alcuni sembravano sculture astratte, eleganti, colorate armoniosamente: giallo e nero, indaco e nero, mogano, smalti rossi e verdi... Colin mi diceva di stare attenta, alcuni erano pericolosi.

Ci siamo fermati tra le rovine di un antico e sgretolato fortino militare. Lì ho cominciato a fotografare lui, mentre mi spiegava che quella costruzione era punto di vedetta per i soldati di guardia; la vista infatti si apriva su tutto l'orizzonte.

Il primo scatto lo ha preso di sorpresa, ha stretto forte le mascelle e ha fatto un breve e secco balzo in avanti, come a volermi strappare di mano la macchina fotografica. Non me l'aspettavo, e ho avuto paura, però ho finto di non essermi accorta della sua stizza, doveva capire che stavo agendo con innocenza, da bambina che si diverte. E lui, controllato l'impulso aggressivo, ha cambiato totalmente atteggiamento. Si metteva in posa con ampi sorrisi o con smorfie terribili. Ridevo, mentre il cuore mi scuoteva il petto. Visto che faceva il buffone, ho giocato anch'io con lui, dopo aver posato la macchina fotografica su un muretto e azionato l'autoscatto.

Solo durante il ritorno verso la funivia, Colin ha mostrato interesse per la mia persona. Ha cominciato a chiedere, quasi pensando ad altro, per semplice, superficiale curiosità. Mi faceva domande scalciando qualche sasso e raccogliendo di tanto in tanto un fiore che io aggiungevo al piccolo mazzo che avevo in mano.

«Sei sposata, fidanzata... o qualcosa del genere?»

«Non sono di gusti facili, quindi niente...»

«Che lavoro fai, perché sei venuta a Nevada?»

«Compilo buste paga per un supermercato. Ma non sono qui per questo. Tornando dalla Svizzera dove sono andata a trovare una zia, ho pensato di passare di qui per rivedere un amico, diciamo pure un mio ex ragazzo, che non ho più incontrato da anni.»

«Goffredo Colin?»

«Già!»

Scoppiò a ridere: «Eccomi!».

«Strana coincidenza, no?»

«Incredibile! Ci tieni tanto a questo tuo amico?»

«Ci tenevo. Ormai...»

«Che tipo è?»

«Contorto come le viscere di un cervello!»

«Perché è finita?»

«Perché quel cervello era bacato. E io non me ne accorgevo, ero troppo scema.»

«Se non ci tieni più, se lui era malato e tu eri troppo scema... perché ti sei scomodata tanto? Treni, autobus, albergo...»

«Gli ho voluto bene. Avrei preferito altro, ma così era...»

«Un amico di giochi...»

«Sì, un amico di giochi. Solo che a giocare era lui, io no.»

«Come mai, che faceva?»

«Stavamo sempre insieme eppure non mi guardava mai. Esisteva lui soltanto... e passava di continuo dalla voglia di fare mille cose a lunghi momenti di cupo silenzio. Si chiudeva e hai voglia a bussare alla porta... E se io lo salutavo e pensavo a organizzarmi la vita, usciva dal rifugio, mi cercava e mi trascinava nei suoi entusiasmi...»

«Quali entusiasmi?»

«Sogni, diciamo. La mattina si alzava e voleva fare il venditore di automobili, gli piacevano quelle storiche. Oppure, siccome era piacente e simpaticone, pensava che sarebbe stato un bravo attore. Ha fatto un sacco di provini inutili. Voleva andare anche al *Grande Fratello*, ci ha provato. Almeno una volta a settimana si riuniva con gli amici del momento e insieme progettavano che so... di aprire un'autoscuola, di mettersi in società per qualsiasi cosa. Una volta s'erano messi in testa di aprire un locale dove bere e ascoltare musica. Ci hanno provato, avevano anche trovato un'ex falegnameria, ma poi si sono accorti che stava a un passo dai binari... passava un treno ogni minuto.»

«Quindi i soldi non gli mancavano...»

«Poca roba, glieli mandava suo padre dall'Australia, e un po' li aveva da parte. Io comunque i conti in tasca non glieli ho mai fatti.»

«Insomma, non ce la facevi più!»

«No, la storia è finita quando abbiamo smesso di essere puerili. La vita ci ha detto basta e ci ha chiesto il conto, ha fatto come il dottore che a un certo punto ti dice: un'altra sigaretta e ti viene il cancro!»

«Capisco. Siete stati tanto insieme, deve essere stata dura per tutti e due girare pagina.»

«Per me sicuramente, perché non ho mai cercato di gestire un autosalone, di fare l'attrice o di aprire un locale... c'era lui e basta, ero a ricasco. Quando è finita, mi sono trovata nel vuoto. Non solo, mi sono resa conto di non aver capito niente né di me né di lui, né di noi due assieme. Nell'ultimo anno, Goffredo agiva in modo strano. Forse si comportava in modo strano anche prima e non me ne accorgevo. Poi ha come mollato, si nascondeva di meno, forse si era stancato di nascondersi.»

«Che faceva?»

«Ha cominciato a parlarmi dei suoi amici e dei ragazzi in genere con un linguaggio nuovo, lo stesso che gli uomini usano quando giudicano una donna. Quello aveva gli occhi intensi, l'altro una bella bocca, l'altro ancora camminava come una cover girl...»

«Era gay!»

«Molto *sui generis*...»

«Gli piacevano anche le donne. Capita.»

«Secondo me non gli piacevano né queste né quelli... dal sesso era terrorizzato... almeno fino all'ultimo anno che siamo stati assieme. Poi ha provato a liberarsi, a sfidare le paure. Quindi è venuto allo scoperto. Io non volevo crederci, mi sembrava impossibile...»

«Con te, comunque... scusa la domanda...»

«Eravamo infantili, come due bambini che giocano al dottore... preferisco non parlarne.»

«Scusami.»

«No, mi fa bene sfogarmi... queste cose non le ho mai confessate a nessuno, neanche a mia madre... che a Goffredo era molto affezionata. Non ho avuto il coraggio di dirle che era omosessuale. Quando è finita le ho detto che si era innamorato di un'altra ragazza... Mia madre è di un'altra epoca, è piena di pregiudizi. Vedeva che stavo male, che davo di matto, e lei, poverina, non sapeva che fare.»

«E tuo padre?»

«L'ho perso tanto tempo fa.»

«Tu hai lasciato Goffredo al suo destino e sei sparita.»

«Sì, sparita. Hai proprio detto la parola giusta!»

* *

Mi ha riportato in albergo con la Renault. Un ultimo scampolo di conversazione l'abbiamo avuto in macchina.

«Grazie...» gli ho detto con imbarazzo, perché solo in quel momento mi sono meravigliata di me stessa, di come mi ero lasciata sedurre con facilità. Avevo raccontato molto di me a qualcuno di cui non sapevo nulla, tranne che aveva una moglie e una bambina, e che custodiva mobili vecchi.

La verità è che stavo prendendo tempo. Ne ebbi coscienza più tardi.

«Quando riparti?» mi chiese guardandomi bene negli occhi.

«Domani mattina. Devo tornare al lavoro, se no i commessi del supermercato restano senza stipendio!»

«Un'ultima domanda... perché, quando hai visto le foto del matrimonio, hai detto a Rachele che mi avevi riconosciuto? Non l'ho capito.»

Mi ha preso alla sprovvista, ma ho risposto prontamente.

«Non volevo star lì a dare troppe complicate spiegazioni... le facevo perdere tempo, aveva la bambina in braccio. Tanto non l'avrei più vista, e mai mi sarei immaginata di incontrare te. Avevo solo voglia di scappare... lo capisci bene.»

«Rachele è convinta che noi due abbiamo avuto una storia.»

«Mi dispiace, a questo non avevo pensato.»

«Non è grave, anzi...»

«Perché... anzi?»

«La gelosia fa bene al cuore. Non ho negato, ho detto: sì, è vero, anni fa Angelica è stata la mia ragazza... la donna che mi ha regalato più piacere di tutte.»

Mi venne da ridere mentre il viso s'infiammava.

«Io so soltanto che domattina prenderò il treno e non credo proprio che tornerò mai più a Nevada. A tua moglie puoi raccontare quello che ti pare!»

«A che ora parti?»

«In mattinata, con comodo... Voglio prima comprare un regalino a mia madre.»

Scesi dalla macchina, lui anche, e venne dall'altra parte a salutarmi.

«Allora ciao, Angelica. Ti rivedrò?»

«Solo se impari a suonare la chitarra.»

«Davvero?»

«Come Bruce Springsteen! Grazie ancora per avermi fatto da guida.»

«Se volessi rivederti?»

«Meglio di no, ciao!»

Gli ho dato la mano, lui l'ha baciata, con un inchino, come faceva il Re Sole con le sue puttane.

Capitolo V

Ho mandato giù a forza, nella bettola dell'albergo, un filetto e della verdura. L'umore s'anneriva sempre di più. Mi detestavo. Non dovevo dire di Goffredo ciò che avevo detto, era stata menzognera la mia voce, non i fatti. Il ritratto era giusto, sbagliati invece i colori, la luce con cui lo avevo inquadrato. Se stavo lì, nell'anonima, squallida Nevada, era, malgrado tutto, per l'affetto che ancora mi legava a Goffredo. Invece, da come ne avevo parlato, sembrava che lo detestassi, che lo cercassi per saltargli addosso e coprirlo di pugni.

Il cuore mi doleva, benché avessi passato una giornata eccitante, singolare e, devo confessarlo, segnata da un turbamento a momenti incontrollabile, nuovo per me.

Ho pensato di scrivere quella notte stessa una lettera a... Colin, per dirgli che Goffredo, al di là del male che senza alcuna premeditazione mi aveva procurato, era una persona unica, candida, e spaventata: un bambino sperduto nella foresta. Volevo dirgli: se un giorno riuscirò a stanarlo da dove si nasconde, lo porterò qui con me a Nevada, così lo vedrai con i tuoi occhi e lo giudicherai obiettivamente.

Rientrata in camera, per fortuna non ho scritto nessuna lettera. Cosa poteva importare a Colin del mio ginepraio mentale, dell'odio-amore che mi allacciava a Goffredo.

Una doccia e sono andata a letto. Per scacciare le ombre, prima di addormentarmi ho pensato a cosa regalare a mia madre. Avevo visto di sfuggita una boutique dove vendevano camicette in stile provenzale, dai colori tenui, con i polsini neri, di seta. Un'ottima idea. Di lì a poco mi sono addormentata.

Non so se è stato sogno a occhi chiusi o fantasia a occhi aperti: mi appariva Colin, che con aria insieme dolce e lussuriosa mi diceva: Angelica, sei stata la mia ragazza, non ricordi? La donna che mi ha dato più piacere di tutte!

Faccio fatica adesso a testimoniare sentimenti e gesti che mi intimidiscono, sono sempre stata trepida e schiva nell'usare il linguaggio parlato dell'amore. Dirò che nel pieno di quella notte, ottenebrata dal sonno, mi sono sorpresa ad accarezzarmi i seni e il ventre, e le gambe. Per troppo tempo i miei sensi erano stati spenti. Non sono stata io a guidare la mia mano, questo posso giurarlo.

La mattina dopo, svegliata di buonora dal fracasso di un trapano, ho realizzato che la confusione mentale s'era cronicizzata. Bisognava conviverci: sciogliere quanto si era ingarbugliato nella mente, e nel corpo, era impossibile. Non c'era altra soluzione che sbrigliare i miei impulsi, senza paura e senza fare i conti della serva.

"Mi lascerò trascinare dal vento... mi porti dove vuole!"

Uscita dal Rescator sono andata dritta verso la boutique per il regalino da fare a mamma. Due passi e mi sono fermata, perché la Renault grigia era parcheggiata nel posto della sera prima. Mi sono avvicinata piena di curiosità: dentro c'era Colin, addormentato sul sedile, il viso reclinato, poggiato all'avambraccio: una stranezza, forse anche un pizzico di follia. Invece di inquietarmi, volevo saltare per la felicità.

Ho attraversato la strada e ho vagato sotto palazzi che avevano lo stesso colore dell'asfalto, in mezzo alla gente che andava a lavorare con la faccia già stanca. La boutique era chiusa, ho fatto un giro per il quartiere fantasticando sulla vita sempre uguale delle persone che incrociavo. Ognuna di loro la sera prima aveva visto la televisione, era andata a letto, per poi risvegliarsi presto, prendere il caffè, lavarsi, vestirsi e correre al lavoro, poi tornare a casa ad aspettare il telegiornale, la cena e un programma televisivo, poi a dormire – notti piene di sogni – fino all'ora della sveglia. E la domenica tutti fanno quello che fanno tutti. Non c'è niente di più anormale che la normalità.

* * *

Il particolare stato d'animo del momento mi ha fatto notare qualcosa a cui non avevo mai badato: quasi tutti gli uomini che sfioravano il mio andare senza meta mi gettavano un'occhiata, una volta di gentile apprezzamento, un'altra con tangibile volgarità. Come possono il cemento, la rincorsa degli studenti con gli zainetti in spalla, lo schiamazzo del traffico, le tasche piene di scartoffie, i tetri monumenti di morti, le sirene delle ambulanze... come possono accendere impulsi erotici?

Allora mi sono ricordata di un passo di *Angelica, la Marchesa degli Angeli*, e mi è venuto da ridere. Lei è con un giovinetto di nome Enrico che vuole fare l'amore, sono in città e lui non sa dove portarla, la trascina insidiosamente verso quartieri meno animati, la spinge dentro un portone, dove la bacia con troppa foga.

Ma è un andare e venire anche lì, nell'atrio del palazzo. Allora Enrico ha un'idea: andiamo a cercare un salottino adatto a noi! La prende per mano e la conduce correndo fino alla piazza di Notre-Dame-la-Grande.

Angelica non conosce la città di Poitiers. Guarda con ammirazione la facciata della chiesa, scolpita come un cofanetto indù e fiancheggiata da guglie gotiche. Lui le dice di aspettare un momento e corre dentro. Ritorna tutto contento, ha in mano una chiave: «Il sagrestano mi ha affittato il pulpito per un po' di tempo».

«Il pulpito?» ripete Angelica meravigliata.

«Non è la prima volta che rende un simile servizio agli innamorati. I confessionali sono meno cari, ma vi si sta più scomodi.»

Il desiderio, quando è in eruzione, non si fa scrupoli nemmeno a bestemmiare.

D'improvviso mi guardo intorno e mi rendo conto di essermi persa. Torno indietro, ma senza più orientamento. Chiedo a un passante l'indicazione per il Rescator e capisco che mi sono allontanata parecchio. Nel tragitto di ritorno ho dovuto farmi ancora aiutare, e finalmente, più in là, ho visto l'albergo. La camicetta per mia madre mi è scappata di mente.

La Renault stava sempre là, questa volta Colin non c'era. Ho guardato in giro, ho immaginato che mi stesse aspettando all'interno dell'hotel. Invece niente. Il portiere mi ha riferito che il solito signore ha chiesto ancora di me, ma voleva soprattutto sapere se avevo lasciato la camera.

Come interpretare le mosse di Colin? Sperava che non fossi partita o che fossi partita?

"In entrambi i casi è bene che mi trattenga qui a Nevada ancora per un paio di giorni. Se spera di vedermi è segno che ho lasciato in lui una traccia che non vuole far svanire nel nulla, che è molto incuriosito da me, se non proprio attratto, e vuole approfondire la conoscenza. Se invece è rimasto in macchina per vedermi finalmente andar via, magari dopo avermi seguito da lontano fino alla stazione, vuol dire che di me ha paura. E io, in cuor mio, so perché: nasconde qualcosa che deve rimanere nascosto e che io invece potrei portare alla luce."

Senza alcuna esitazione ho detto al portiere che sarei rimasta qualche giorno in più, mantenendo, se era possibile, la stessa camera. Nessun problema.

Stavo andando verso l'ascensore quando l'ho visto arrivare, stesso abbigliamento ma con una camicia tra il nero e il blu.

«Sono fortunato, speravo di rivederti.»

«Eccomi qua, non sono ancora partita.»

«Se vuoi ti accompagno alla stazione.»

«Ho deciso di restare ancora qualche giorno. Se proprio non hai altro da fare, potresti venire con me a comprare un regalo per mia madre.»

«Non parti più? Come mai?»

«Si vede che le montagne sono incantate, non mi lasciano scappare.»

Lì per lì non sapeva che dire, poi i suoi occhi sono sbocciati in un sorriso irresistibile.

«Non potevi darmi notizia più bella di questa!»

«Se hai pazienza, scendo subito. Faccio una telefonata a casa, dico a mia madre che non torno e di trovare una scusa con quelli del supermercato.»

«Ti aspetto fuori.»

«Non ti dà problemi nel lavoro perdere tempo con me?»

«No.»

«E i tuoi mobili?»

«Sono abituati ad aspettare.»

In vetrina la camicia provenzale sembrava più elegante, e i polsini non erano di seta ma di raso. Ho rinunciato e sono tornata da Colin che aspettava fuori dal negozio, con la schiena contro il muro. Era pensoso, si puliva nervosamente le unghie con le unghie.

«Non ho comprato niente, ma non voglio trascinarti in quest'impresa. Cercherò un'altra boutique nel pomeriggio...»

Chi sa cosa gli era successo, quali pensieri lo avevano tormentato. Mi ha sorpreso trovarlo d'improvviso con un'altra cera, quasi non lo riconoscevo. Aveva i muscoli del viso induriti, sulla bocca una smorfia che non controllava.

Ha appoggiato le mani sulle mie spalle e balbettando mi ha detto di aspettarlo in albergo per l'ora di pranzo, doveva scappare. Nient'altro. L'ho visto correre, salire in macchina e filare via a tutta velocità.

Sapevo troppo poco di lui, mai avrei potuto indovinare per quale ragione, senza che fosse successo nulla, di colpo, il suo umore era passato dal giorno alla notte. Prima era un allegro cascamorto, poi un bucaniere ferito.

Ho rinunciato a fare supposizioni e sono andata a caccia di un'alternativa alla camicetta. Camminando mi sono imbattuta in un negozio che vendeva occhiali e materiale fotografico. Ne ho approfittato per stampare i negativi del mio rullino. Le foto si potevano ritirare già l'indomani. Ho pagato in anticipo e sono entrata in una bigiotteria che stava di fronte. Dopo un'ora ho deciso per una collanina di stelline rosa, o la va o la spacca.

Mi è venuto a prendere per portarmi a mangiare in una trattoria per camionisti sull'autostrada, a una decina di chilometri da Nevada.

La cucina in effetti era di ottima qualità, a base di

cacciagione, e il locale, uno stanzone senza finestre, s'immergeva nell'odore di piumaggio bruciato. Colin era tornato gaio, e mi faceva tanto ridere con il suo modo ammiccante e ironico di raccontare e commentare le miserie umane. Mi faceva pensare a un sopravvissuto, che vive ora dopo ora senza guardare lontano, con vitalità e scetticismo, come se quello che gli capita fosse solo un dono di Dio, tutto regalato. Eppure non aveva nessuna concezione del sacro.

«Si gioca, niente di più» diceva sollevando le spalle. «Chi non capisce che siamo tutti al luna park, la notte non dorme. Gli basta lo scaldabagno che perde acqua per non chiudere occhio!»

Un prete gli aveva detto che sulla Bibbia c'è scritto che ogni ricchezza si perde per un cattivo affare. E che il tempo non si ricorderà né di un professore né di uno scemo, e che sia l'uno che l'altro hanno la stessa sorte.

«Si nasce che non abbiamo niente e ce ne andiamo senza niente in mano. Allora a che servono tutti i nostri sforzi per diventare ricchi? L'unica cosa è spremere il massimo del piacere. E bisogna anche fare presto, perché la gioventù finisce!»

Che strano discorso gli aveva fatto quel prete.

Lo studiavo, da bere ordinò una birra senza alcol e io, per non tentarlo, invece del vino chiesi una spremuta d'arancia.

Siamo usciti nel largo spiazzo dov'erano parcheggiati i camion, non avevamo voglia di andarcene da lì. Ci sedemmo su un rialzo erboso, di fronte al lavaggio delle macchine. Mi sono fatta coraggio.

«Di me ti ho detto quasi tutto, ma ti prego, dimmi chi sei, da dove vieni, se no per me resti una cartolina illustrata, un corpo che cammina.»

«Se ci tieni... Vengo da un mondo dove o ti convinco o ti ammazzo. Brutta gente. L'infanzia l'ho vissuta parcheggiato su una branda. In quella accanto mia madre si faceva sbattere dai clienti. Mio padre l'ho sempre visto che contava soldi leccandosi il pollice. E ogni tanto mi sbraitava in faccia.

Il destino esiste solo all'inizio, quando nasci, anzi, dove nasci. Il resto viene da solo, chi guida un treno non può cambiare rotta, va dritto, prende lo stipendio per andare dritto. La parola lavorare non l'ha mai pronunciata nessuno a casa mia e nemmeno nel mio quartiere. Io l'ho scoperta da poco qui a Nevada, incasso quattrini per custodire reliquie.

I miei amici li vedevo allegri e intelligenti quando avevano qualche soldo: ma depressi e ubriachi se le tasche erano vuote. Mi pare che Rachele te l'ha detto, sono stato alcolizzato dall'età di dodici anni fino alla nascita di Severina. Avevo paura che la bambina venisse al mondo già ubriaca, cantando i cori alpini.

Ho sputato sangue tra gente che il sangue lo faceva sputare agli altri, magari passando poi il resto dell'esistenza a giocare a scopa nella cella di una prigione. Due uova fritte sono uguali a una coppa di caviale, dipende dalla prospettiva. I piaceri non fanno discriminazioni, va all'altro mondo sia chi mangia caviale sia chi mangia uova fritte. E magari capitano in due tombe vicine.

Se mi domandi cosa ti piace di più, io ancora dico le uova. Il caviale non mi appartiene. Perché mi ubriacavo? A questa domanda non ho mai trovato una risposta... non so perché, ma c'entra in qualche modo il potere. Chi può fa e disfa a piacimento, chi non può beve, e solo quando è ubriaco capisce, anestetizzato com'è dall'alcol, che non c'è migliore sorte per l'uomo che di essere fatto e disfatto dagli altri, poiché solo il dolore insegna che nella vita esiste il piacere.

E quanti piaceri ci sono? Chi sputa sangue dalla mattina alla sera dice che ce n'è uno solo, quello che

Dio ci ha dato perché la specie umana sopravviva a ogni catastrofe. E della specie umana fanno parte tutti. Non è un caso che siano più fecondi i poveri che i ricchi. Per anni si è detto che il sesso è la consolazione dei poveri. Forse. Ma è anche vero che il denaro è la consolazione dei ricchi. E le catastrofi chi le provoca? Non certo chi sfila portafogli sull'autobus.»

* * *

Ero stata a casa sua, avevo conosciuto la moglie, visto la bambina, la casa uguale alle altre della città. Anche lui saltava giù dal letto agli strilli della sveglia, dopo il caffè andava sul posto di lavoro sbirciando con interesse le signore che incrociava, la sera rientrava a casa e aspettava la cena, magari intrattenendo Severina. E dopo aver mangiato guardava stancamente la televisione in attesa di crollare dal sonno.

Avevo l'impressione che Colin, al contrario di quanto stava dicendo, non odiasse le sue origini e il suo passato per quel che erano stati, ma per il risultato a cui l'avevano condotto. Altrimenti non avrebbe preso le parti di chi mangia uova fritte. Avevo percepito una sottesa nostalgia dei tempi in cui si ubriacava.

«È roba passata» ho commentato. «Metti tutto nel tuo magazzino, in mezzo ai mobili dismessi. Dimentica. Adesso sei un'altra persona, non bevi più, hai una bella moglie, l'appartamento di proprietà, una meravigliosa bambina, e pronunci perfino la parola lavoro.»

«Tu mi hai chiesto di dirti da dove vengo, e io te l'ho detto. Hai qualche altra domanda?»

Prima di aprire bocca ho meditato a lungo. Una parte di me mi spingeva verso la chiarezza assoluta: le domande più spinose le avevo riposte nella testa il giorno prima. Ma era bene che capissi con chi avevo a che fare. Se era un amico o un nemico.

«Vogliamo scoprire le carte?»

«Cioè?»

«Sarò sincera, e lo devi essere anche tu.»

«Mi preoccupi.»

«Tanto sia tu che io abbiamo da perdere al massimo le catene.»

«Non ti capisco.»

Ho abbassato il viso, guardavo l'erba accanto a me, ogni tanto strappavo un filo per farne tanti pezzettini che ammonticchiavo sulla gonna.

«Ti voglio raccontare una storia. Anzi, voglio finire quella che avevo cominciato a raccontarti.»

«Goffredo Colin!»

«È ovvio che ti aspettavi che un giorno o l'altro ne avremmo parlato!»

«A meno che stamattina non avessi preso quel treno.»

«Ma io so dove abiti, magari più in là sarei venuta a bussare alla tua porta.»

«Sei furba, perché non mi hai detto dove abiti tu.»

«Per il momento va bene così... è un misero vantaggio. Dunque niente racconto, vado subito alle domande. Non ti chiedo di dirmi la verità perché tanto non lo saprò mai se menti. Rispondimi come ti pare.»

«D'accordo!» ha fatto con voce stizzita.

«Quando tua moglie ti ha detto che era passata a cercarti un'amica che non vedevi da tempo, come hai reagito?»

«Mi sembrava impossibile, non ho mai avuto né amici né amiche. Ho chiesto a Rachele di descrivermi questa ragazza, e lei mi ha fatto un ritratto veloce di te.»

«Non te l'ha detto che stavo al Rescator, che volendo potevi incontrarmi là?»

«M'ha detto che ripartivi subito.»

«Il portiere dell'albergo mi ha riferito che qualcuno ha chiesto di me.»

«Ero io?»

«Eri tu! Sei la stessa persona che questa mattina ha domandato al portiere se ero partita. Mi ha detto: è ritornato quel signore a cercarla.»

Si è alzato di scatto, inviperito.

«Va bene, ti ho cercato... ero molto incuriosito, Rachele è rimasta incantata dalla tua bellezza e dalla semplicità dei tuoi modi. Volevo vederti, e magari conoscerti davvero.»

«Se vuoi, la smetto di chiedere.»

«Farei salti di gioia, ma non voglio lasciarti nei tuoi strani dubbi. Continua.»

«Forse è meglio che ti racconti la mia storia. Avevo un amico...»

«Goffredo...»

«Goffredo. L'ho perso per alcuni anni, finché un bel giorno mi viene lo sfizio di andarlo a trovare. Vado a casa sua e scopro che non abita più là da tempo, anzi, che quella casa non è più sua. Allora mi metto a cercarlo rivolgendomi ai nostri amici comuni... ne trovo pochi, e di Goffredo non sanno nulla, non l'hanno più visto. Mi rivolgo all'agenzia immobiliare che ha venduto la casa. Pensavo che avessero il nuovo indirizzo di Goffredo. Non ce l'hanno, conoscono solo il nome e l'agenzia della banca che ha riscosso il denaro della vendita. Insomma, niente da fare.

Mi metto l'anima in pace. Senonché, guardando vecchie foto dove lui e io siamo insieme, noto la sua Ford azzurra, famosa nel quartiere dove lui abitava. Riesco a decifrare il numero della targa. Vado alla motorizzazione, che mi manda dallo sfasciacarrozze, che a sua volta mi spedisce all'autosalone dove un certo Goffredo Colin ha comprato una Renault grigia quattro porte svendendo la Ford, che quelli dell'auto-salone hanno mandato a rottamare. Indirizzo del signor Goffredo Colin: via Luigi XIV, numero 47, Nevada.»

Mi sono fermata qui. Ho sollevato il viso verso di lui, che stava in piedi. È scoppiato a ridere, ma era fin troppo evidente l'isteria.

«La Ford azzurra l'ho comprata di seconda mano al mercato dell'usato. Adesso che me lo hai ricordato, il venditore deve avermi parlato della coincidenza dei nomi... mi torna in mente la sua faccia che rideva. In ogni modo mi piacerebbe sapere di cosa mi sospetti.»

«Ancora non lo so. Ma è evidente che in questa storia c'è qualcosa che non va.»

«Addirittura mi hai accusato di essere salito in camera tua di nascosto. Tu sei fissata, hai problemi di nervi.»

«Voglio presentarti mia madre, ti va?»

«Tua madre?»

«Ha visto più volte Goffredo in compagnia di un uomo che ha l'abitudine di pulirsi le unghie con le unghie!»

A queste parole Colin si è messo a sghignazzare.

«Ti riferisci a me? Te ne presento dieci che hanno questo vizio, che è come quello di mangiarsele, le unghie. Anche l'autista del mio camioncino, che è polacco. Se vuoi ti presento lui, piuttosto.»

«Mi stai confondendo...»

«Ti dico la verità, mi dispiace che il tuo interesse per me...»

Non ha finito la frase, ha cambiato tono facendo un passo verso la macchina.

«Ti porto all'albergo, ci pensi sopra con calma, oppure te ne torni a casa tua, o vai dove cazzo ti pare. Te lo sei chiesto almeno perché mai avrei bisogno di chiamarmi proprio Goffredo Colin?»

«Non capisco più niente, scusami!»

«Dài, ti riaccompagno.»

Durante il viaggio non ho aperto bocca, trattenevo a fatica le lacrime. Ero a un incrocio di strade senza uscita: gli credevo, non gli credevo, i sintomi della malattia non erano del tutto scomparsi. E poi... era inutile prendermi in giro: Colin mi scombussolava il cuore e il corpo. Bastava che alzasse un po' la voce che tornavo bambina.

Guidava con i denti stretti, i capelli scompigliati perché ogni tanto, sbuffando, li buttava indietro con la mano... ma non dovevo fissarlo troppo, si sarebbe accorto che mi stavo innamorando.

"Prima mi libero del fantasma di Goffredo, prima diventerò padrona di me stessa. Lo spettro del passato continua a intromettersi nella mia vita."

La macchina si è fermata davanti all'albergo. Colin non ha spento il motore. Era furioso. Ha allungato il braccio per aprire lo sportello dalla mia parte, e, involontariamente, con il gomito mi ha sfiorato i seni. Mi è salito alla testa tutto il sangue che avevo in corpo, rinfocolando ardentemente una fame d'amore che spezza ogni orgoglio.

«Angelica, puoi scendere, sei arrivata!»

Invece rimanevo immobile, questa volta sì sostenendo il suo sguardo, senza alcuna paura. Lo provocavo come da ragazzina sfidavo l'acqua della piscina prima di tuffarmi dal trampolino più alto. E quando lui mi ha detto di nuovo che potevo scendere, l'ho baciato sulla bocca per un tempo infinito, con una passione che non riusciva a mascherarsi da tenerezza. E lui, fissandomi sbalordito, si è lasciato baciare, e alla fine, stringendo forte nel pugno i miei capelli dietro la nuca, è diventato padrone di me: si è attaccato alle mie labbra come a volerle inghiottire. Allora mi sono ritratta, forzando con le braccia, e sono scappata fuori della macchina, verso l'albergo.

Capitolo VI

Quella notte ho sognato una scena d'amore. Lui non le aveva tolto le vesti. Solo le gambe erano denudate. Scivolavano fuori pallide, di madreperla, così sottili e gracili che sembravano appartenere a una ninfa modellata nell'alabastro.

Chino su quel corpo delicato e cedevole, il moro, ansante, salmodiava. Il suo corpo, nudo, era una magnifica statua di bronzo agitata da brividi e da movimenti convulsi.

Come due colonne nere, imponenti, le sue braccia imprigionavano la preda. Appariva gigantesco, con tutti i muscoli del corpo rigonfi per la forza sensuale che lo dominava.

Mi sono svegliata che era ancora buio, non riuscivo a riprendere sonno. Ho fatto una doccia, mi sono vestita e ho aspettato con santa pazienza l'ora in cui aprivano il locale della colazione.

Sono scesa in anticipo, e nell'attesa mi sono accostata alla vetrata dell'ingresso per guardare il risveglio della città, con i soliti furgoni dei giornali e del pane, le saracinesche che rumorosamente si sollevano... È sempre un'emozione vedere che il vivere delle persone, generazione dopo generazione, prosegue nell'assoluta indifferenza ai tuoi problemi, ridotti fatalmente a piccola cosa destinata a essere divorata dal tutto che passa. Ho guardato l'albero di pruno che il padrone dell'albergo ha fatto piantare in una vasca piena di sassi marroni, fuori, a fianco dell'ingresso. Era ridente e in ottima salute.

"Quest'albero sopravviverà a me e a tutte le creature che in questo momento stanno scorrazzando per il mondo. È spaventoso!"

Da scolaretta innamorata, speravo di vedere la Renault grigia parcheggiata nei pressi del Rescator. Perché mai Colin avrebbe dovuto sostare là tutta la notte... a casa l'attendeva pur sempre Rachele, la quale di sicuro aveva cominciato a insospettirsi.

Di colpo sono avvolta dal saporoso e invitante profumo di caffè e di brioche calde.

Io ho fatto il primo passo, io ho dato il primo bacio. Mi crucciava l'aver mostrato debolezza, e nello stesso tempo ero felice del mio gesto sfrontato. Ora però dovevo disorientarlo, per non farlo sentire già in pantofole, con una conquista da cancellare nella lista delle cose in sospeso. No.

Ho passato quasi tutto il giorno in albergo a rileggere le pagine più belle della *Marchesa degli Angeli*. La mattinata in camera, il pomeriggio nel salottino vicino alla finestra.

Sarò uscita un paio di volte, per sgranchirmi le gambe, e puntualmente, come mi aspettavo, Colin, al volante della sua automobile grigia, mi ha seguito passo passo, senza alcuna paura che lo notassi, anzi, lo faceva scopertamente, con spirito provocatorio e aggressivo.

In alcuni momenti ho avuto la sensazione che volesse investirmi. Ascoltavo le frenate e tiravo dritto, senza voltarmi, fingendo di non accorgermi che era lui a infastidirmi. Mi divertivo e mi raccontavo che nella sua volontà inconfessabile, profonda, voleva uccidermi, per liberarsi di una persona che gli stava buttando all'aria il castello di carte: prima di incontrarmi era felicemente sposato, padre di una deliziosa bambina, e definitivamente uscito dall'alcolismo. Portava avanti le giornate, anonimo tra gli anonimi, ma dentro binari rassicuranti.

Ecco che sul più bello compaio io, mi innamoro, lo bacio... Allora tutto vacilla sotto i suoi piedi, la sua sicurezza perde colpi.

Quel giorno è andato avanti così, non ci siamo scambiati neanche una parola. Toccava a lui l'iniziativa, io avevo fatto già troppo. Doveva dimostrarmi di tenerci al mio amore, e, da parte mia, il messaggio era che a me non basta un bacio per consegnarmi anima e corpo a un uomo.

La mattina successiva, per sbloccare quella ridicola, puerile situazione di stallo, ho avuto un'idea spiazzante, la mossa giusta per metterlo sotto scacco. Ho fatto le valigie, ho pagato il conto, mi sono fatta chiamare un taxi, sono andata alla stazione e ho preso il primo treno per Milano. In due parole l'ho piantato senza neanche salutarlo.

Immaginavo la terribile frustrazione di Colin nel sapere che ero partita all'improvviso. "So quasi tutto di lui. Lui, di me, ben poco. Io so che abita a Nevada, in via Luigi XIV, numero 47. Non sa neanche in quale città vivo. Io posso andare a trovarlo quando voglio, a lui non resta che aspettare senza poter fare niente, sperare che la distanza e il tempo non riducano l'inizio di un grande amore a ingannevole promessa. Ma non parto solo per questo. Voglio scomparire per un po', anche perché devo rispondere alla domanda che nessuna donna dovrebbe mai porsi: potrò essere felice con un uomo inchiodato alla vita da un matrimonio e da una bambina piccola?"

* * *

Ho trovato mia madre in grande forma. Ha gradito molto il mio regalo, che però si è affrettata a seppellire nella scatola dei suoi ricordi, tra anelli della nonna, spille ossidate e orologi da polso distrutti dalla stanchezza di essere morti.

Non mi ha fatto domande, si è limitata a studiarmi, a controllare se stavo bene, se ragionavo in modo assennato, se ero un po' ingrassata e se finalmente non pensavo più a Goffredo. In effetti quel nome, dopo il mio ritorno a casa, non è più uscito nelle nostre conversazioni, e non perché facessi attenzione a pronunciarlo.

Alcuni giorni dopo sono andata in ospedale a trovare il dottor Stigliani, che mi ha accolto con grande affetto. Mi ha parlato a lungo di sua figlia Cesira, come me senza un uomo fisso, in un'età che silenziosamente ti grida dentro che un figlio o lo fai adesso o mai più.

Mi ha chiesto se secondo me Cesira e io abbiamo gli stessi problemi per colpa nostra o per colpa dei tempi. Mi sono limitata a rispondere che sia a me che a sua figlia non capita quasi mai l'occasione per prendere delle decisioni, sono le circostanze a spingerci a fare ciò che facciamo.

«È una tirannia anche questa» ha commentato il dottore. «La più subdola che l'uomo possa inventare. Non è la fine della libertà, ma del libero arbitrio!»

Già che stavo lì, mi ha fatto una visita veloce. Gli ho chiesto di rivedere la camera che mi aveva ospitato per cinque anni.

«È meglio di no. C'è un vecchio signore, adesso... speriamo di tirare fuori anche lui dal baratro in cui è piombato.»

Ci siamo salutati verso mezzogiorno. Mi ha accompagnato fino alla strada e, prima di lasciarmi con un bacino sulla fronte, mi ha detto che ero il suo orgoglio di medico, e che mi voleva tanto bene: «Conta sempre su di me, come un padre. Se hai bisogno sono a tua disposizione. Salutami la mamma».

Ho vagabondato un po' intorno all'ospedale con un sentimento dolente e insieme esaltante. Non capisco perché spesso un ex internato è preso dalla nostalgia del ricovero, forse perché ce l'ha fatta, perché l'ospedale è la testimonianza della sua vitalità, il campo di battaglia da cui è uscito vincitore. Ma anche tanti pensionati, all'insaputa delle mogli, si alzano presto al mattino, si vestono per bene e fanno il tragitto che per una vita li ha condotti all'ufficio. Li vedi fare il giro del palazzo, puntare gli occhi sulla finestra della loro vecchia stanza, prendere il caffè al bar di fronte, dove ormai nessuno più li conosce. Tornano desolatamente a casa troppo presto.

Io non potevo sentire nostalgia, perché il tempo passato in ospedale non aveva lasciato alcuna memoria, se non degli ultimi giorni di convalescenza. Il mio corpo era stato prigioniero mentre la mia testa navigava nel regno dei morti. Guardavo il pesante edificio, costruito su colline brulle distanti dalla città, tentando di stabilire un'intima complicità, un'impossibile confidenza con quel bestione grigio dalle finestre tutte uguali, abitato da gente silenziosa e da personale medico in camice bianco o verde slavato: la casa che è stata mia solo un istante durato cinque anni.

Oggi lo posso dire con assoluta certezza: brigavo, temporeggiavo, divagavo per non pensare a Colin. Il quale aveva liberato in me un desiderio d'amore che mi spaventava.

Nel vagheggiamento del sonno appariva a torso nudo, con un sacchetto di cuoio intorno al collo, zeppo di amuleti e feticci afrodisiaci, e mi diceva: «Siete una fanciulla selvaggia, la qual cosa mi piace assai. Una conquista facile rende l'amore senza valore, una conquista difficile gli dà prezzo».

Ero riuscita a far passare quasi due settimane, ma adesso non ce la facevo più, il treno mi aspettava. Nevada mi aspettava.

Avevo già preparato tutto, compresa la prenotazione al Rescator e il biglietto ferroviario. Mia madre era felice di vedermi autonoma, libera di muovermi senza alcuna paura. Mi aveva aiutato a stirare gonne, camicie e la biancheria, e a fare la valigia. Mi mancavano il latte detergente e la crema per la notte.

Esco in strada, era pomeriggio, vado diritto verso la fermata dell'autobus che porta al centro: le creme che uso, che non mi danno allergia, non le trovo nei grandi magazzini ma solo in alcune farmacie.

Cammino spedita, attraverso una strada, mi preparo ad attraversare la seconda... ho la sensazione di qualcuno che mi sta seguendo, che non vuole superarmi: accelera quando vado più svelta, rallenta il passo quando lo rallento io. Comincia a battermi il cuore, in giro non c'è quasi nessuno, come sempre nel mio quartiere dormitorio non voglio girarmi per non mostrarmi spaventata.

Invece di andare dritta verso la fermata dell'autobus, giro d'improvviso a destra e mi infilo in una via secondaria. Spero che il presunto inseguitore, invece, continui sulla strada principale.

Niente, me lo ritrovo alle calcagna. Allora mando giù un grande boccone d'aria, mi fermo e mi faccio di lato per lasciare passare chi mi cammina dietro. Guardo per terra. Una figura si materializza davanti a me, la noto con la coda dell'occhio.

* * *

«Angelica... sei tu allora... volevo essere sicura...»

Alzo lo sguardo, è una giovane donna, vestita da vamp: occhiali da sole molto grandi, gonna traslucida stretta fino alle ginocchia, di colore verde, una camicetta bianca con i bottoni pronti a esplodere. Rimango a bocca aperta. La riconosco subito: «Rachele!».

«Che sorpresa, eh? Questa non te l'aspettavi davvero!»

«No, non me l'aspettavo! Ma...»

Lei mi interrompe subito: «Vorrei dirti alcune cose... c'è un bar da queste parti?».

«Prima voglio sapere come hai fatto a scovarmi.»

«Semplice, l'indirizzo me l'ha dato Goffr... mio marito.»

«E a lui chi gliel'ha dato?»

«Non lo so... ma forse, se parliamo, la risposta potrai trovarla tu stessa. Andiamo a cercarci un bar tranquillo.»

Prendo un tono duro e faccio un passo indietro.

«Neanche per sogno! Voglio sapere come ha fatto tuo marito a sapere che abito in questa città, in quel palazzo laggiù. Se non me lo dici, possiamo salutarci subito!»

«Ti dico la verità: non lo so... posso immaginare...»

«Cosa?»

«Che sia riuscito a farsi dare il tuo indirizzo dall'albergo. Scusami, Angelica, ma questo mi sembra un dettaglio insignificante... non capisco perché t'incaponisci su questa fesseria!»

«Non è per niente una fesseria... La vera fesseria è la storia dell'albergo.»

Rachele tace, soffia, si toglie gli occhiali, poi mi dice senza battere ciglio: «Va bene, il discorso allora lo comincio qua. In questi giorni ho capito che forse mio marito conosceva molto bene il tuo ex ragazzo!».

Mi ci vuole un minuto buono per assimilare cosa ha detto Rachele. Poi prendo un tono sicuro.

«Credo che dobbiamo trovarci un bar!»

Mentre cerchiamo una caffetteria con tavolini e sedie, Rachele mi racconta dei progressi di Severina. La figlia comincia a riconoscere le persone, dorme di più la notte, anche se il miele canforato non riesce a calmare il dolore alle gengive. Abbiamo trovato un bar spazioso, di taglio moderno, pieno di vetrate, in una piazza finita di costruire da poco, sporca di calce e circondata da negozi quasi tutti ancora vuoti.

Scegliamo il tavolo più appartato, fuori, sotto un grande ombrellone rettangolare. Ordiniamo due aperitivi, che il cameriere ci porta corredati da tre o quattro tazze di stuzzichini e piccole ghiottonerie.

Ho troppa voglia di sapere, e non appena lei fa una pausa nell'appassionato racconto delle genialità della bambina, rompo l'indugio e chiedo: «Scusami... non ho molto tempo, se non ti dispiace...».

Non mi lascia finire. Posando gli occhiali sul tavolino, mi dice: «Sono molto preoccupata... non apre più bocca, se ne sta sempre zitto anche con la figlia, che nemmeno vede. In casa ci sta poco, ma quel che mi ha veramente allarmato è che, per la prima volta da quando ci siamo sposati, gli ho visto mandare giù un bicchiere di vino... Gli ho detto: sei pazzo? Lui ha fatto spallucce e mi ha risposto che ormai è guarito, è diventato come tutti gli altri, e gli altri, a tavola, un bicchiere di vino lo bevono. E io che gli urlo che non è la stessa cosa... Ho paura che ricominci la tortura, che beva di nascosto... si comincia così, uno a settimana, poi uno ogni tre giorni... e visto che non ci sono problemi si prosegue la scalata, uno al giorno, e poi due al giorno... fino a quando non scopri che la mattina quando si sveglia, invece di prendere il caffè, si fa un cicchetto di vodka. Sapessi, Angelica, quanta fatica e pazienza ho dovuto sudare per farlo uscire dal tunnel. E adesso? Si ricomincia? Non ho la forza!».

Scuoto il capo. «Perché mi racconti queste cose?»

«Perché sono sicura che la colpa di tutto questo sei tu!»

«Io?»

«È tutta colpa tua! Hai rivangato qualcosa che lui aveva sepolto tanto tempo fa. Io ti posso giurare, sulla testa di Severina, che mio marito è la persona più buona e innocua della terra. È generoso, amoroso... lavoro e casa, lavoro e casa... e vola vola con la bambina... basta! Non può aver fatto del male a nessuno, anche se viene da una famiglia di disgraziati, con una madre puttana e un padre approfittatore... Non vuol dire niente: quante volte da genitori scellerati vengono fuori le persone più oneste del mondo... proprio perché hanno imparato che nella vita conviene stare dalla parte giusta... dove si lavora e si mette su famiglia.

Goffr... mio marito ha sicuramente la coscienza pulita... per questo mi fa pena, e anche rabbia, vederlo ridursi in quello stato... Non mangia, la notte dorme sul divano senza spogliarsi... e ultimamente neanche ritorna a casa... non so dove e con chi faccia mattina. Ho cercato di parlargli... gli ho detto di tornare in sé, che non è successo niente... di pensare alla casa e alla figlia... ma non reagisce. Allora ho provato a spaventarlo, a minacciarlo di andarmene di casa con la bambina... ma lui gira la testa dall'altra parte... Attento, gli urlo, se imbocchi quella brutta strada non ne uscirai più... non bere, torna tranquillo.

Le ho provate tutte... e adesso sono qui davanti a te perché è il mio ultimo tentativo per farlo tornare com'era prima. Sono spaventata perché non l'ho mai visto così... Ti confesso che ho più volte pensato che ha perso la testa per te... Me lo diceva che ogni tanto ti incontrava, dato che siete amici di vecchia data... e quando tornava a casa dopo i vostri incontri, era strano... una volta euforico, felice come mai l'avevo visto, e altre volte invece furioso. Prendeva a calci le sedie e si buttava sulla poltrona senza dire una parola fino alla mattina dopo.

Pensa, Angelica... gli voglio così bene... un bene che la nascita della bambina ha reso più ricco... ho ingoiato la bile della gelosia... vengo fin qui a chiederti di aiutarmi... Non so come, Angelica, ma devi aiutarmi.»

«Il mio indirizzo come l'hai avuto? E non raccontare bugie!»

«L'ho carpito a... mio marito!»

«Come?»

«Io non lo so come lui lo ha avuto, ma penso che lo conoscesse da tempo, da quando vi frequentavate da ragazzi. Tu hai sempre abitato in quel palazzo?»

Per rispondere a questa domanda le dovevo rivelare che io, suo marito, non l'avevo mai conosciuto. Dovevo dire: "È una balla che mi sono inventata, e Colin, chi sa perché, non mi ha smentito!".

Invece ribatto con un'altra bugia. «No, in quel palazzo ci abito da poco.»

Lei allarga le braccia.

«Allora non so proprio come abbia fatto a rintracciare il tuo indirizzo. La notte... di quel giorno in cui sei improvvisamente partita senza salutare... mio marito... lui... ha avuto una crisi di nervi. Per la prima volta da quando lo conosco, l'ho visto piangere... E io ho avuto un attacco di gelosia... sono perfino volati gli schiaffi... gli urlavo... tu ti sei innamorato di quella là! Che te ne frega se è partita... perché ci tieni tanto? Ma lui negava di essersi innamorato di te... anzi, mi diceva che la morte s'era incarnata in te... che tu eri la morte giunta da lontano... Non gli piacevi, aveva paura, lo terrorizzavi. Veniva preso dalla furia e ti copriva di insulti... e quando gli ho detto che era inutile incazzarsi così... che tanto lei è sparita e tu non sai dov'è... lui è scoppiato a ridere nervosamente e ha detto che sa esattamente dove abiti... in quale città, in quale via, in quale palazzo. E mi dice città, via e numero dove tu abiti... un indirizzo che mi si è stampato nella testa.

Ma in quel momento non davo nessuna importanza a quello che diceva... Ero gelosa e basta... la sua mi sembrava la scena di un innamorato piantato dalla ragazza... impazzito. E gliel'ho detto. Gli ho detto: le tue sono tutte chiacchiere, sei invasato... stai sbroccando... se n'è andata perché a lei non interessi... e questo non riesci a sopportarlo. Allora lui s'è messo in ginocchio davanti a me e mi ha detto, con la voce che veniva fuori a tentoni... che forse è anche vero... sì, mi diceva... forse mi sono lasciato incantare... ma non è questo che mi fa impazzire... E io gli chiedo: allora che cos'è? E lui mi dice: la cosa più grave riguarda me e l'ex ragazzo di Angelica... che si chiama Goffredo, come me! Lei lo cerca e io so dov'è! Lo conosco molto bene, non l'ho più visto ma so dov'è. E io gli chiedo: dov'è? Lui si batte i pugni sulle tempie: non posso dirlo... non posso dirlo! Si è rialzato, ha cercato qualcosa da bere nella credenza, ma per fortuna l'avevo chiusa a chiave... Allora ha cominciato a sudare, finché non è caduto sulla poltrona un'altra volta, senza più forze.

Io mi chino su di lui, lo accarezzo, gli sorrido, cerco di consolarlo... ma non so che cazzo dire... All'improvviso si è alzato, ha riempito una sacca di camicie e biancheria e m'ha detto: devo partire per qualche giorno... scusami! E io: dove vai? E lui: ti giuro che non bevo, te lo giuro su Severina... Io insisto: dove vai? Devo incontrare una persona, mi dice. Sto fuori qualche giorno. Prende e se ne va, di corsa. Quella notte non ho chiuso occhio, e la bambina deve essersi accorta della mia incazzatura perché ha cominciato a piangere, a piangere... e io mi innervosivo di più, sono stata presa dall'angoscia... così sono andata da mia madre, ho lasciato la bambina a lei e sono venuta da te. Ho passato tutta la mattinata fuori del tuo portone, non avevo il coraggio di suonare al citofono.»

Diventa implorante, gli occhi le si gonfiano di lacrime.

«Ti chiedo di aiutarmi, sono sicura che se chiarite il problema del tuo ragazzo... se, insomma, riesci a farlo parlare e a cacciare via i problemi... sono sicura che tutto si risolve... non so come, ma bisogna provarci... Per me tu sei la soluzione di tutto! Te lo chiedo per quella bambina che ha bisogno di un padre allegro e felice, e non di un relitto.»

Sorrido appena, tanto per calmarla.

«Rachele, tuo marito non mi sembra proprio un relitto... forse gli fai torto a descriverlo in questo modo...»

«In quale modo?»

«Non so... ho l'impressione che stai esagerando. Parli di lui come di un bambino nevrotico che fa i capricci, tira calci alle sedie, spacca i piatti, piange, ride

95

istericamente, si mette in ginocchio... mi vede come la morte in persona e poi ammette che forse un po' s'è innamorato... Però mi copre di insulti. Sono sicura che stai esagerando, non mi sembra proprio un tipo così...»

«Così?»

«Insomma, mi pare di capire che a questo punto abbiamo tutti lo stesso interesse... Facciamo in questo modo: se sei d'accordo, vediamoci tutti e tre a casa mia, senza angoscia e senza fretta. Quando Colin... tuo marito... tornerà a casa, gli puoi dire che il mio indirizzo lo conoscete, che vi aspetto per un chiarimento definitivo di questa situazione che, scusami la sincerità, Rachele, comincia a puzzare di bruciato...»

«Cosa intendi dire? Perché puzza di bruciato?»

«Devo restare calma, almeno io... Tutto si risolverà in un batter d'occhio nel momento in cui incontrerò il mio Goffredo, e lo abbraccerò... devo dargli una notizia che lo farà sicuramente felice... devo dirgli che sua sorella è guarita da una malattia mortale... che sta bene, e che vorrebbe tanto rivederlo e abbracciarlo... Lui ancora non lo sa... e nessuno può dargli questa magnifica notizia perché è sparito dalla circolazione. Se tuo marito è in grado di dirmi dov'è... tornerà la serenità per tutti noi... ma soprattutto per il mio lontano fidanzato.»

«Poveretto...»

«Ormai è chiaro che il vero Goffredo Colin non è certo tuo marito... Mi ha raccontato bugie su bugie e mi domando perché. Rachele, dimmi la verità: qual è il vero nome di tuo marito?»

«Ma stai scherzando? Io l'ho conosciuto come Goffredo Colin... e Goffredo Colin resta! Colin è il cognome anche di mia figlia e compare in tutti i documenti di mio marito. Se vai al comune e chiedi il suo atto di nascita c'è scritto Goffredo Colin. Non scherziamo. Chi sa perché il tuo ragazzo si chiama come lui... mio marito mi ha detto che è una strana, rara combinazione, e basta. Quando dice che quell'altro, il tuo ragazzo, lo conosceva, era amico suo... c'è qualcosa che non funziona, i conti non tornano. Così sembra una pazzia, hai ragione, bisogna parlare.»

Mi alzo dopo aver pagato il conto.

«Già, bisogna parlare. Vi aspetto a casa mia... ma puoi star certa che tuo marito non salirà mai da me.»

«Perché?»

«Perché ha paura che mia madre lo riconosca!»

«Non capisco...»

«Non fa niente.»

Prendo la penna dalla borsetta e scrivo dietro la ricevuta del bar il mio numero telefonico.

«Questo è il telefono di casa mia. Puoi darlo a tuo marito, e digli che aspetto con ansia una sua telefonata. Adesso devo andare.»

Infila il biglietto nella borsa, ma fa di no con la testa.

«Guai se viene a sapere che sono venuta a parlarti! Non glielo posso dare il tuo numero...»

«Lo troverà da qualche parte se conosce il mio indirizzo...»

«Giurami che se lo incontrerai non gli dirai nulla!»

«Giuro. Tu però fagli capire che prima si chiarisce ogni cosa meglio è. Altrimenti saremo costretti a denunciare la scomparsa di Goffredo.»

Si alza.

«Certo... certo. Anch'io ti lascio il mio numero di telefono... se mi dai la penna lo scrivo sul tovagliolo di carta.»

Aveva un'altra faccia, sembrava rasserenata, come se avesse pienamente raggiunto l'obiettivo che si prefiggeva. Ha scritto il numero e mi ha consegnato il tovagliolo. Ci siamo abbracciate e l'ho accompagnata alla fermata dell'autobus che porta alla stazione. Un saluto complice, e l'ho vista salire: i passeggeri si sono voltati a guardarla, ammirati e affascinati da quel corpo bello e forte.

Capitolo VII

Non ho cambiato i miei programmi, la mattina dopo sono partita lo stesso per Nevada. L'incontro con Rachele non mi aveva fatto dormire, l'ombra di Goffredo imperversava di nuovo, come la ricaduta di una malattia. Udivo la sua voce che mi chiamava, era nascosto o imprigionato e mi invocava perché lo tirassi fuori dalla sua tana o dalla sua prigione.

"Come mai" mi chiedevo, semiaddormentata sul treno, "Colin era scappato frettolosamente di casa, dicendo a Rachele che sarebbe stato fuori alcuni giorni? Lo so dov'è andato: a incontrare Goffredo. So che è così!"

Nel dormiveglia, coccolata dal treno che filava verso le montagne, ho osato anche pensare che io e Colin stavamo sfruttando Goffredo per un gioco d'amore di cui ci sfuggivano le regole.

Ero stupefatta di me stessa: non mi facevo scrupoli a lasciare libere le mie sensuali fantasie, pur sapendo che Colin era amato da una bella donna, con tanto di foto matrimoniali nel cassetto. Se mia madre avesse potuto guardarmi dentro, sarebbe rimasta scandalizzata: non ero certamente il frutto della sua educazione. Lei non ha mai saputo che ho sprecato i miei desideri nell'adattarmi a un ragazzo infantile con le donne e silenziosamente attratto dagli uomini. Molti anni di fedeltà, passati in un clima di trasgressione, hanno corroso, come l'onda lo scoglio, i precetti cattolici dei miei genitori.

Il racconto che Rachele aveva fatto delle rabbie e dei travagli di Colin, guarda caso esplosi proprio il giorno della mia partenza da Nevada, non poteva avere altro significato: non gli era andato giù il mio colpo di testa, si era sentito aggredito, offeso.

Ci eravamo lasciati con un bacio forte, denso di promesse, un bacio che aveva sigillato la chiusura della pratica che riguardava Goffredo. Il mio era stato un atto di sottomissione. Come mai Colin aveva rimesso le mani nella melma? Semplice, perché era l'unico modo di riacciuffarmi. Al mio bacio non aveva creduto.

* * *

Al Rescator era libera la stessa stanza dell'altra volta. Ho tirato un sospiro di sollievo nel ritrovarmi in una cuccia protettiva, familiare, con il suo profumo di saponetta misto al disinfettante della moquette. La prima cosa che ho fatto è stata ritirare le foto dall'ottico.

Erano venute bene: tra Colin e il demone del New Jersey, Bruce Springsteen, c'era poca differenza. Ho scoperto che è di una fotogenia assolutamente magica. Nel rivederlo col suo raro sorriso, gli occhi neri accesi, le corde del collo contratte, un cenno di capelli imbiancati sulle basette... la schiena mi si è bagnata di sudore. Eravamo io e lui. Due corpi stagliati nel nulla, in un'epoca remota, forse in fondo alla stiva di una nave pirata, verso la metà del Seicento.

L'immagine dell'autoscatto è l'unica in cui stiamo assieme. Le donne non si piacciono mai nelle foto, e infatti il primo impulso è stato di strapparla in due, gettare la metà dove compaio io e conservare l'altro pezzo. Qui Colin ha un'espressione smarrita, un candore tenerissimo, le labbra tumide... è di un'attrazione irresistibile.

Ho telefonato a casa sua, mi ha risposto Rachele, meravigliata di sentirmi così presto, e addirittura sbalordita quando le ho detto che ero a Nevada. Non ci credeva. Senza che glielo domandassi, mi ha informato che suo marito non c'era, non l'aveva più visto. Le ho chiesto come potevo raggiungere il capannone dove lavorava. Senza esitare mi ha dato sia l'indirizzo che il numero di telefono, avvisandomi però che era inutile cercare di rintracciarlo ai magazzini, lei lo faceva inutilmente da giorni e ogni mezz'ora.

«Se lo sento» ha concluso «gli dico che sei qui... immagino nel solito albergo...»

«Sì, sono al Rescator. Appena ritorna, fammi sapere.»

Ho passato tutto il pomeriggio a buttare i pensieri così come venivano, a zonzo per la città, che questa volta sentivo amica. Seguendo la piantina presa in albergo, ho cercato qualche angolo suggestivo, o una memoria del passato. L'antico centro storico, con ruderi romani e una chiesa settecentesca, si trova nella periferia di Nevada, non so a che distanza dal Rescator. Solo l'idea che per andare fin laggiù dovevo cambiare due autobus mi ha scoraggiato.

Ho cenato in un ristorante poco illuminato, fatto per coppiette a lume di candela. Tutti, compreso l'oste, si aspettavano che da un momento all'altro arrivasse il mio uomo, e quando ho pagato e sono andata via, sola com'ero arrivata, ho sentito addosso sguardi ostili. Forse ero troppo strana per loro, l'unica turista in tutta la città.

Sono tornata a piedi in albergo, Colin mi aspettava fuori, seduto sul bordo del grande vaso col pruno. Mi ha sorriso con la faccia un po' piegata.

«Toh, chi si vede!»

«Già! Voglio portarti in un localetto simpatico che una volta frequentavo, Il Principe.»

«Ma non sei astemio?»

«Berrò un sidro sognando di sorseggiare champagne.» Si alza. «Su, andiamo!»

«Non so se ne ho voglia.»

«Fattela venire... Non vorrai andare a letto adesso?»

«E poi ho bisogno di cambiarmi... è da stamattina che...»

M'interrompe. «Vai pure a cambiarti, io aspetto qui fuori, è una bella serata, c'è anche la luna, non so se l'hai vista.»

Ho guardato il cielo, ma la luna stava dietro i palazzi.

«No, non si vede.»

«Allora la vedremo insieme. Sono le nove e quaranta, aspetto fino alle cinque e mezzo di mattina, quando viene fuori l'alba. Uscito il sole, però, me ne vado a casa!»

«Va bene» ho risposto. «Se per le cinque e mezzo non sono scesa, puoi andare: significa che sto dormendo profondamente.»

«Il momento più bello di una passione è l'attesa, lo diceva un mio amico...»

«Che sicuramente starà ancora aspettando.»

«È un tipo che non perde la speranza... Vai a cambiarti, fai con comodo... e scendi prima che la luna tramonti.»

Ero divertita all'idea di farlo aspettare tutta la notte. Sono entrata in camera decisa ad andare a letto dopo il bagno caldo. Ho aperto il rubinetto della vasca, mi sono spogliata. Ho deliberatamente evitato di guardarmi allo specchio e, perché non mi venissero strane idee per la testa, mi sono distratta cantando le poche canzoni che so a memoria.

Ho versato nell'acqua il mio olio profumato, tirato fuori dal beauty-case, e mi sono immersa con l'intenzione di prepararmi al sonno, abbandonando le membra, gli occhi chiusi, e tra le labbra una canzone presa dal repertorio delle feste liceali.

A un certo punto ho smesso di cantare. Avevo gli occhi chiusi e sentivo la voce narrante della *Tentazione di Angelica*, il tono del notaio che redige l'inventario dei sentimenti dell'eroina. Quell'uomo le rubava i pensieri sempre di più. Al mattino, quando lo aveva visto la prima volta, lo aveva giudicato un bruto, uno dei soliti marinai; ma ora, osservandolo nel suo atteggiamento meditativo, le fu chiaro ch'era probabilmente uno di quegli esseri fuori del comune, che i mari lontani accolgono e spesso nascondono.

La sua indole introversa era tale che si sprigionava da lui una sorta di solitudine quasi minacciosa, la quale sembrava bruciare come una fiamma alta e crepitante. "Dev'essere un ex pirata" pensò Angelica, "chissà, forse di nobile nascita. Un uomo stanco dei delitti compiuti e che vuole dimenticare, farsi anche dimenticare da compagni troppo pericolosi... Sono loro che egli spia, che teme, che cerca, inseguito dal rimorso e dalla paura?"

Un brivido mi ha ridestato, l'acqua della vasca si era raffreddata. Con l'accappatoio addosso mi sono avvicinata alla finestra: era una notte strana, piena di pericoli imprecisati, di sortilegi poetici e anche, forse, di malefici.

Dovevo decidermi tra la camicia da notte e l'abitino di seta leggera. Ho scelto lo specchio, dove mi sono guardata dalla testa ai piedi con quel vestito corto che non avevo mai indossato. Mi scendeva sulla pelle come un gelato dal cono, i capelli li avevo asciugati velocemente ed erano ancora appiccicati dietro il collo. Un filo appena di trucco, ed ero pronta per la grande serata.

Scialle, borsetta e sono scesa. Ho lasciato la chiave al portiere e sono entrata nella macchina di Colin, il quale non era da meno in fatto d'eleganza: jeans, stivaletti, camicia chiara con cravatta sottile, bordeaux, allentata al collo, giacca nera, buttata sui sedili posteriori della Renault. Destinazione: Il Principe.

Ha bevuto veramente sidro, come aveva promesso, s'era fatto portare una bottiglia ghiacciata e una coppa di cristallo, e io ho centellinato un gin tonic, nell'illusione che il leggero brio mi avrebbe rasserenata. Rifiutavo di accettare che quella notte era fatta su misura per l'amore, e sapevo che in ogni no c'è dentro sempre un sì.

Al Principe c'era un bel po' di gente. L'odore che galleggiava tra i tavolini sapeva di legno e di vaniglia. La musica di sottofondo non aveva né melodia né ritmo... creava ambiente, evocava spazi siderali e venti del deserto. Pochissima luce, e anche qui candele, ma ben più vistose. La cera secca copriva quasi l'intera superficie del tavolo, tanto che faticavo a trovare un appoggio al bicchiere. Mi piaceva tutto, mi piacevo io e mi piaceva lui.

Da brava e fiduciosa fanciulla ero lì per imparare cosa si deve fare per non essere infelici. Mi si è presentato di colpo alla memoria un passo erudito di Angelica, quando uno sfrontato corteggiatore le dice che in Aquitania si studiava l'arte di amare perché, come disse Ovidio molto prima degli stessi trovatori, "l'amore è un'arte che si può insegnare e in cui ci si può perfezionare conoscendo le sue leggi".

Quest'arte, io, non l'avevo mai appresa, forse perché mi erano mancati gli anni della scoperta amorosa. Ora non chiedevo di più, non volevo niente altro, niente altro che amore completo di anima e corpo. Spiavo le mani di Colin e me le sentivo scivolare sulla pelle nuda, scendere, frugarmi sotto la gonna. Fissavo i suoi occhi bui e li immaginavo fissare i miei in un bacio lunghissimo da spaccare il cuore.

Colin non poteva sapere che in quel momento avevo del tutto dimenticato Goffredo, e che l'ultima parola che avrei voluto ascoltare era proprio quel nome. Vivevo le ore della notte come un regalo di Dio, difendevo, nel mio silenzio, il diritto di rapinare uno straccio di emozione e d'amore a questa vita che con me aveva accumulato un debito molto pesante.

Invece, accosta la sua sedia alla mia, poggia i gomiti sul tavolino e guardando la coppa di sidro mi dice: «Angelica, scusami... fino a oggi ti ho detto un sacco di coglionate. Io Goffredo lo conoscevo, ho vissuto a casa sua per un bel pezzo. La Ford azzurra era la sua».

«Perché mi dici adesso questo?»

«Voglio cacciare via tutte le brutte cose che si mettono in mezzo tra me e te. E le più brutte sono le mie bugie, i miei inganni, l'arrampicarmi sugli specchi per convincerti di qualcosa che non sta in piedi. Lo so benissimo che non l'hai bevuta la storia delle coincidenze. E so benissimo che sei tornata a Nevada perché vuoi sapere la verità. Speravo proprio che tornassi, ho fatto la posta all'albergo per intere giornate. Volevo venire io a casa tua, perché so dove abiti... Goffredo diceva che eri un angelo. E che era colpa sua quello che ti era successo. Mi parlava così bene di te, che mi ero quasi innamorato. Quante volte l'ho accompagnato all'ospedale... l'aspettavo in macchina. Tua madre l'ho vista da lontano.»

* *
*

Colin mi creava di nuovo confusione. Aveva ragione a dire che la storia delle coincidenze non mi aveva per niente convinto, e che non avevo ancora messo sopra la vicenda una pietra tombale.

Tuttavia non ero nello stato d'animo giusto per affrontare l'argomento. Avevo voglia di gridare e di fuggire al Polo Nord, mi vergognavo di me stessa, dei pensieri morbosi che avevo avuto fino a un attimo prima... e il mio vestito, adesso, mi sembrava troppo corto e scollato.

Goffredo era diventato una persecuzione, tanto è vero che mi è scappato di dire a Colin, a denti stretti e con le lacrime agli occhi: «Senti, a me di Goffredo non interessa assolutamente nulla. È stato il mio ragazzo nell'altra vita, non l'ho più visto e non rientra nei miei piani. L'unico legame che ho ancora con lui è fatto di poche parole. Gli voglio dire: Goffredo, sono guarita, sto bene, non sentirti in colpa per me... e basta, nient'altro! Ecco perché lo cerco. Poi voglio andare avanti per una strada dove un tipo come Goffredo, spero, non passa mai».

Colin mi prende una mano, la stringe forte, e la bacia.

«Se è solo questo che vuoi dire a Goffredo, lo faccio io al tuo posto... gli dico che ti ho vista, che stai bene e che può stare tranquillo. Ti basta per dimenticare il passato e ricominciare tutto daccapo?»

«Ma io voglio guardarlo in faccia! Perché si nasconde? Cosa gli è successo? Qualcuno gli ha forse deturpato la faccia con l'acido, come il fantasma dell'Opera?»

Lui sorride, e subito riprende il tono conciliante.

«Quando tu eri all'ospedale, Goffredo ha avuto un incontro che lo ha stravolto, è come se su di lui si fosse abbattuto un uragano. Io sono dovuto scappare... non posso dirti molto, ma è uscito da quell'esperienza cambiato. Non era più Goffredo Colin, anche se continuava a chiamarsi così.

L'uomo con cui stava, un uomo più che maturo, gli aveva estirpato e gettato alle fiamme l'anima. Quando ogni tanto lo andavo a trovare, non mi faceva entrare in casa, mi portava, quasi di nascosto, senza fare rumore, nel garage. Ci chiudevamo dentro. Io gli chiedevo cosa stava succedendo e lui, con gli occhi invasati, svuotati, mi rispondeva che stava in Paradiso, ma mangiava pane e sangue. Non capivo, e lui non sapeva spiegarmi, era nel vortice, non poteva avere un'idea chiara della situazione in cui era caduto, o si era tuffato. L'uomo, che ho appena intravisto all'inizio, credo fosse un pittore, un artista molto ricco... aveva ridotto Goffredo in schiavitù.

Dopo l'incontro con questo tizio, non è più venuto a farti visita all'ospedale... ha dimenticato tutto e tutti e si è messo al servizio del suo nuovo, attempato amico.

Gli volevo molto bene, mi aveva ospitato in casa in un periodo per me delicatissimo, nel pieno della lotta contro l'alcol. Mi calmava quando davo i numeri e nei rari momenti di lucidità mi portava ad ascoltare musica e a conoscere qualche suo amico. Insomma ci siamo anche divertiti.

Poi, così, da un giorno all'altro, con l'apparizione di questo personaggio nobile e colto, la erre appena moscia... è cominciata la fine di tutto. Proprio perché non facevo che uscire ed entrare dalla coscienza, non lo aiutavo per niente... mi sentivo nell'abisso anche io. Gli somigliavo.

In pochi giorni ero diventato un ingombro, e Goffredo mi ha cacciato di casa quasi a calci. Ero sicuro che lui non voleva farlo, dietro c'era lo zampino di quell'uomo ruffiano e violento, ingordo di un ragazzo spaventato da se stesso... che non aveva ancora capito da che parte andare... Se l'è divorato senza farsi scrupoli, cominciando dalla ciliegina.

Io intanto avevo trovato un letto in una specie di ostello, e con il passare dei mesi mi ero dimenticato di Goffredo. Mi dicevo: chi se ne frega. Però nello stesso tempo, quando pensavo a lui, lo sentivo più vicino di prima, lo capivo bene, perché quando non vivi ma sopravvivi, le disgrazie non esistono più... non ti chiedi nemmeno perché stai facendo una brutta fine... pensi a tirare avanti, giorno dopo giorno e poi ora dopo ora. Tutti quelli che incontri sono meglio di te... anche l'ultimo posteggiatore... così li eviti, ti rintani, ti nascondi... ma quando ti capita d'avere davanti uno che sta peggio di te, ti senti rinascere, dici a te stesso: la colpa non è mia... guarda come questo mondo schifoso riduce le persone migliori! E quando la colpa non è tua ma del mondo, la notte dormi meglio.»

L'ascoltavo quasi a forza. Mentre l'incontro travolgente di Goffredo con il misterioso individuo, in fondo, non mi meravigliava, perché riconoscevo lui, delirante e pazzo, estremo nei sentimenti... la mia curiosità era tutta per Colin: da dove veniva... Veramente era un vagabondo come i personaggi di una ballata di Springsteen? Mi chiedevo che tipo di amicizia poteva nutrire per un ragazzo così pieno di sé, e se era ricambiato. Per come conoscevo Goffredo mi sembrava strano un tale rapporto... amici veri lui non ne ha mai avuti, tutti passeggeri di paglia.

Non riuscivo a immaginare Goffredo che si occupa

di un ubriacone, che lo convoca nella penombra del garage per confidarsi con lui. A meno che l'artista, l'enigmatico pittore, non fosse un prestigiatore, capace di tagliare in due una persona che invece rimane intatta, e fa l'inchino al pubblico.

Lo lasciavo parlare, ma avevo pronte alcune domande che lo avrebbero messo con le spalle al muro.

«Angelica, perché tu non pensi che voglia svicolare... adesso, dopo la lunga premessa che ti ho fatto, rispondo alla tua domanda. Mi hai chiesto perché mai non ti puoi presentare dinanzi a Goffredo... E qui sono costretto a fermare il mio racconto. Non posso aggiungere altro, devi fidarti di me. Scrivigli un biglietto, una lettera, se vuoi... gliela porto io! Non è in condizioni di vedere altre persone, può vedere solo me, e con grande difficoltà!»

«Quel che dici mi allarma anche di più... lo capisci, no? Se avesse bisogno di aiuto, se avesse bisogno di me... No, fai in modo che possa incontrarlo, anche per cinque minuti, in qualsiasi situazione e in qualsiasi luogo. E voglio anche sapere come mai il suo nome adesso lo porti tu... e qual è il tuo vero nome. Comincio ad avere paura!»

Colin scuoteva il capo, non osava guardarmi in faccia, fissava il tavolo scorrendo con il dito le vene di cera colorata. Ha ordinato di colpo una birra.

«No!» ho gridato, poggiandogli una mano sul braccio. Lui allora si è fatto portare una birra analcolica messicana. Dopo un po' ha ripreso.

«Non devi aver paura. Nessuno vuole farti del male.»

Questa frase mi ha riportato alla memoria ciò che l'innamorato dice ad Angelica; stanno su una barca, nel labirinto delle trecentosessantacinque isole della Baia di Casco: "Stai in guardia, stai in guardia, *mon amour*... C'è gente che ti vuol male, tanto male!".

«Ti prometto, Angelica, che farò tutto quello che mi è possibile. Lui ha chiuso con il nostro mondo, ha staccato i fili, come si è strappato il nome e il cognome di dosso. Io stesso, che l'ho aiutato dopo che quell'altro era... sparito... l'unica persona al mondo che sa dove si è ritirato... non riesco a vederlo. Tra lui e gli altri c'è un muro invalicabile. Non è detto che si fidi di te. È molto probabile che mi risponda: no, grazie, salutala... mi dimentichi al più presto, dato che io non esisto più, sono morto.»

«E tu, perché porti il suo nome?»

«È difficile da spiegare... perché è una pazzia!»

«Pazzia sua o tua...»

«Prima sua, l'idea è venuta a lui... poi mia, che gli sono andato dietro.»

«Come ti chiami veramente?»

«Un giorno te lo dirò.»

«Dimmi almeno se Goffredo sta bene.»

«Sta bene, sta bene... è in pace con gli uomini e con Dio.»

«S'è forse chiuso in un convento?»

«Più o meno... tu non sai quanta gente scompare dalla faccia della terra senza lasciare traccia... Ecco, sì, fai conto che Goffredo ha venduto casa e il ricavato lo ha dato a un convento, come pensi tu... dove potrà vivere e pregare per tutti noi fino alla fine della vita.»

Sono scoppiata a ridere. «Neanche se lo vedo con i miei occhi, vestito da monaco, credo a questa storia.»

«Infatti, non è un monaco, ma non posso dirti di più. Ti sembra impossibile perché non hai assistito alla trasformazione di Goffredo. Credimi, Angelica, te lo giuro sulla bambina... davanti ai miei occhi l'ho visto cambiare, anche fisicamente, era diventato magrissimo, gli occhi ingranditi, e i denti che hanno cominciato a premere contro le labbra. Non so come quello sia riuscito a violentarlo e a mutarlo così. Aveva perso ogni allegria, e nel giro di un anno è invecchiato di dieci. Quel tizio poteva essere il demonio in persona. Gli è entrato in casa e ha distrutto ogni cosa... poi si è accanito contro quel ragazzo buono come un angelo, riducendolo a una larva umana.»

«Che fine ha fatto... l'artista?»

«Hai messo il dito nella piaga... Non posso dirtelo. Te lo dovrà dire Goffredo... come ti dovrà dire per quale ragione io avevo la sua Ford azzurra e porto il suo nome.»

«Dimmele tu queste cose.»

«No! Ti ho detto tutto quello che posso.»

«Così mi spaventi!»

«È come se mi chiedessi di tradire un fratello. E poi, scusami... ancora non ti conosco bene... immagino chi tu sia... immagino la tua bellezza d'animo... però non so fino a che punto fidarmi... capisci? Quel che dovrei dirti potrebbe mettere in seri guai Goffredo e in parte anche me, che sono stato suo complice. Infrangere il segreto vuol dire mettere a repentaglio alcune persone che oggi vivono serene, te compresa, Angelica.»

L'ho fissato a lungo. Mi sembrava tutto pazzesco. Mi sono perfino chiesta se non stessi ancora sdraiata sul letto dell'ospedale.

Anche lui mi fissava intensamente e mi studiava col suo sguardo scuro, straordinariamente nero, che conservava una freschezza infantile nel viso solcato e indurito, i capelli in disordine.

Pareva tentasse di trattenermi là, davanti a sé, come se si fosse accorto che stavo per involarmi nell'irreale. Ho capito, tuttavia, che non pensava alla sua passione per me, ma a qualcosa di grave, che lo preoccupava.

Dico questo sicura che Colin faceva terribili sforzi, con grande pena, affinché i nostri cuori si incontrassero in un clima trasparente, senza equivoci o reciproche diffidenze, nella pienezza di noi. Altrimenti non avrebbe tirato fuori, lì, al Principe, tutti e due pronti all'amore, un argomento triste e scoraggiante.

Sapeva già che i nostri baci non avrebbero avuto il sapore giusto. Non esiste eros, senza totale abbandono. E come potevamo lasciarci andare se eravamo irrigiditi da neri sospetti?

«D'accordo, ti prometto che non ti chiederò più nulla... ciò che tu non puoi dire, me lo dirà lui... si prenderà la responsabilità di darmi fiducia. Voglio proprio vedere se dopo tanti anni crede ancora in me!»

«Farai molta fatica a riconoscerlo. Il tuo Goffredo non esiste più.»

«Parli di guai, di più persone coinvolte, di una tua complicità... non è linguaggio che si addice a Goffredo. Sono sbalordita. Non vorrei ci fosse qualcosa di veramente brutto in questo intreccio di nomi falsi e di persone scomparse, come quel pittore. A proposito, come si chiama?»

«Mi hai appena promesso di non farmi più domande!»

«È l'ultima, lo giuro!»

«Conosco solo il nome, si chiama Gregor.»

«Gregor... italiano?»

«Sì, italiano!»

«Scomparso.»

«*Puff...*»

«Mi farò dire tutto da Goffredo... Se proprio vuoi, il potere di farmi incontrare con lui ce l'hai.»

«Quale potere?»

«Fagli sapere che se non mi incontrerà lo farò cercare dai poliziotti... vedrai...»

Per Colin la mia frase è stato uno schiaffo in piena guancia. Mi ha fissato con odio, sì... con odio.

«Lo vedi che non ti conosco?» mi dice spietato, afferrandomi il mento con le dita. «Davvero saresti capace di mettere me e Goffredo nei guai?»

«È solo un'idea per costringerlo a incontrarmi.»

«Con un ricatto?»

In effetti non mi ero resa conto di aver proposto a Colin un ricatto. A quel rimprovero ho accusato una stretta allo stomaco.

«Hai ragione, è stata una proposta cattiva, aggressiva... l'ho fatta senza troppo pensare. Sono certa che è stato un moto istintivo di rifiuto. È segno che non sopporto più Goffredo, al punto che vorrei fargli del male!»

«Ne ha passate già tante, non merita un'altra cattiveria, soprattutto da parte tua... Sei stata l'unico vero regalo del destino. Non sai quanto lo invidio per questo.»

«Adesso non ne parliamo più...» gli ho detto sfilando la mano dalle sue. «Ci stiamo rovinando la serata.»

* * *

Il locale adesso s'era riempito, lungo il bancone i clienti si affollavano, e tendevano le braccia per farsi consegnare da due cameriere – una mulatta, forse creola, e l'altra sicuramente dell'Est – la birra o un liquore con ghiaccio. Anche fuori del locale, sul marciapiede, sostavano molti ragazzi, quasi tutti con un bicchiere in mano.

A Colin quella gente dava fastidio, non si poteva parlare e ti urtavano senza chiedere scusa. Non avrebbe mai immaginato che il locale, scalcinato un anno prima, quando lo aveva scoperto, avrebbe avuto tanto successo... Era l'unica macchia di luce sotto i portici squadrati e desolati di un quartiere di cemento dalla testa ai piedi.

«Questo posto ha perso tutto il fascino del buco per derelitti, col fumo che si taglia, le guance avvinazzate, la disperazione in corpo. Guarda cos'è adesso, zeppo di gente fin troppo sazia di vita, tante facce buie, ma che sorridono come idioti. Che ne dici se ce ne andiamo?»

Mi sono alzata di scatto. «Pronta!»

Mi porta da un'altra parte, più lontano. Anche questa zona è desolata, illuminata da lampioni altissimi, di ferro, che alitano una leggera nebbia al neon. Palazzi vuoti, negozi eternamente chiusi, con le saracinesche arrugginite, e vetri rotti sui marciapiedi. Tutto nuovo ma coperto di polvere, vie asfaltate con l'erba che cresce nelle spaccature del catrame. Non passa un cane.

Gli chiedo se non è pericoloso muoversi da quelle parti. Lui sorride e mi risponde che non c'è nulla da temere, perché lo conoscono bene; prima di sposarsi, ha abitato in uno di quei loculi.

Si entra da una porticina rossa, dipinta con il minio. Ci mancano i draghi, altrimenti avrei l'impressione di infilarmi nel corridoio di un pub di Shanghai. Il locale non ha nome ed è grandissimo, una piazza, ci sono perfino delle macchine parcheggiate nel buio lontano. Forse di giorno è un garage, che i guardiani, di notte, trasformano in ristoro.

Musica anche qua: canzoni di successo, a buon volume, roba uscita di moda, come Elton John e Iglesias. Si vedono solo donne bene in carne, appariscenti e scollacciate. Girano profumi di marca e nugoli di canapa indiana. Facce inespressive, di persone ottuse, incarognite, tenute affamate prima della gara del mattino, come si fa con i cani da combattimento.

Muovendoci verso un tavolo libero, mi sento spogliare dallo sguardo torvo, piratesco, dei più ubriachi. Non mi guardano in faccia, cercano di indovinare le forme del mio corpo, il colore della biancheria, il profumo della pelle nascosti sotto l'abito leggero. E se qualcuno solleva lo sguardo, si ferma a scrutare le labbra, poi il collo, e i seni. Io non esisto: sono una bambola gonfiabile, una portatrice di piaceri.

Colin saluta questo e quello con un semplice gesto della mano. Li fisso bene i suoi conoscenti, non per capire che tipo di gente è, ma per avvicinarmi di più a Colin, intuire chi è dal suo rapporto con gli altri.

Saluta giovanotti volgari. Uno si fregia di barbetta e capelli ossigenati, ha un abito bianco, i polsi appesantiti da bracciali, e stringe alla vita una ragazza giovanissima, molto ben fatta e con gli occhi lucidati, probabilmente dalla cocaina. Non mi sembra possibile che Colin abbia qualcosa da spartire con quel tizio. Poi, dato che si sono salutati sbrigativamente, faccio marcia indietro e mi dico che i due non si sono scambiati neanche una parola: anch'io e la moglie del tabaccaio vicino a casa ci salutiamo sempre, eppure non ci conosciamo.

Comunque ho paura a stare là dentro, mi stringo a Colin per sentirmi protetta, e se lui mi tira per mano, o mi dà un bacio sulla fronte, o posa un braccio sulla mia spalla, non mi ritraggo, anzi, voglio che tutti in quel locale mi ritengano la ragazza di Colin, così non mi danno fastidio.

Ordino un secondo gin tonic e lui vorrebbe una birra, una sola. Gliela concedo e lui, succhiando direttamente dalla lattina, rimette in vita la sua allegria. Serra i pugni dalla contentezza e i suoi candidi baci sulla tempia, sulla fronte, sulle mani diventano una sola cosa quando mi abbraccia con un'intensità di cuore che quasi gli viene da piangere.

Il gin comincia a regalarmi un'euforia che fatico a imbrigliare. A un certo punto Colin mi porta lontano dalla luce, verso le macchine parcheggiate. Io mi rifiuto, punto i piedi, ma subito mi accorgo che vuole soltanto ballare. E balliamo alle note di una vecchia canzone inglese, tra odori di garage e profumi da bordello.

«Qui la luna non c'è!» mi dice scavando con i suoi i miei occhi.

Gli rispondo con un antico proverbio: «Mostrami la luna, così posso ammirare la tua mano!».

Colin fissa un faretto lontano che sbuca dall'intonaco bianco. Con le dita tese mi indica la luce della lampada. «La luna ci guarda, la vedi?»

Capitolo VIII

«Dimmi, dove potremmo trovare un po' di pace?»

«Stiamo bene qui» mormorò Angelica. Ma lui non era soddisfatto. Gettò un'occhiata nella piccola borsa che portava alla cintura, e il suo volto si illuminò.

«Vieni, m'è venuta un'idea! Andiamo a cercare un salottino adatto a noi!»

La prese per mano e la trascinò per le vie, fino alla piazza di Notre-Dame-la-Grande.

Quella notte è successa più o meno la stessa cosa.

Uscendo dal locale Colin mi ha stretto a sé con il braccio muscoloso, come fossi di sua esclusiva proprietà. Non sapevo ancora perché, ma la sua padronanza mi piaceva molto. Ero protetta in quel luogo francamente malfamato da un uomo che non aveva alcuna soggezione dell'ambiente. Mi eccitava, e mi divertiva, che i maschi in calore e le femmine, rossetto e calze a rete, mi credessero la puttana di turno in balìa dei capricci di Colin.

Siamo saliti in auto. Era parcheggiata sotto un lampione, in mezzo ad altre macchine, metà scalcinate e metà fuoriserie nuove di zecca, molto costose. Non ha messo neanche in moto, non ce la faceva più, mi voleva... Ha infilato la mano nei miei capelli, alla nuca, ha portato la mia bocca verso la sua e mi ha baciato. Mi ha scosso un fremito, di piacere e di paura, poi mi sono abbandonata cercando il sapore vero delle labbra.

Quando è scivolato verso il collo, sotto l'orecchio, come una ragazzina ingenua volevo già strapparmi l'abito, scoprire i seni. Ero impazzita.

Ho balbettato invece un no, che non deve essere stato convincente. Mettendo in moto mi ha detto: «Dimmi, dove potremmo trovare un po' di pace?».

«Stiamo bene qui» ho mormorato allentandogli la cravatta. Ma lui non era per niente contento. Si è illuminato di colpo, e ha inserito la marcia indietro.

«M'è venuta un'idea! Andiamo a cercare un salottino adatto a noi!»

Mi porterà in albergo, ho supposto, e mi chiederà di salire in camera mia. Invece andava a grande velocità lontano da tutto. Con una mano guidava, con l'altra stringeva la mia.

Si è fermato davanti a un cancello di ferro ricoperto da una lamiera. Ha suonato ripetutamente il clacson, fino a quando è giunto un ragazzo assonnato, che ha riconosciuto la macchina e ha aperto. Ha salutato Colin con la mano e ha richiuso dietro di noi.

Mi aveva portato nel suo magazzino: due capannoni alquanto grandi, tutt'intorno un abbozzo di prato inglese venuto male, a chiazze, nell'ampio spazio sterrato. Un paio di cani hanno provato a sbraitare, ma sono stati subito zittiti dal guardiano, un polacco o un rumeno.

La luna, col suo argento che scivolava sui tetti di vetroresina, trasformava quel luogo lugubre in una sorta di fotografia artistica della periferia. Stazionavano al buio tre montacarichi e due container, uno giallo e uno blu.

«Come sono strane e belle quelle macchie di colore... mettono allegria!»

«Sto tentando di trasformare tutta questa baracca in EasyBox... affitterei scatoloni colorati. È tutto molto più semplice e comodo. E sì... anche più allegro!»

L'autostrada, che non passa distante da lì, è un rincorrersi di fari accesi, di macchine e TIR che sfilano quasi nel silenzio. Mi suonava in testa una colonna sonora di straziante sapore metropolitano, un assolo di sassofono, magari della band di Bruce, il Boss.

Prima di infilarci nel capannone di sinistra, il più lontano dal cancello, Colin ha alzato la leva di un grande interruttore. Con le chiavi, prese dal cruscotto della macchina, ha aperto una porta metallica ritagliata nella pesante parete scorrevole. Varcata la soglia, ha richiuso a chiave dietro di noi e mi ha fatto strada, sempre tenendomi per mano, lungo un corridoio altissimo e illuminato dai neon che si apriva in mezzo a ordinate cataste di mobili. Un soppalco ben solido divideva in due piani le pareti.

Nella parte superiore erano ammucchiati armadi, tavoli, sedie, forni, buffet, comò, librerie, panche... insomma, tutto ciò che non era scomponibile. Di sotto si allineavano specchi, quadri, fondali teatrali, arazzi, tappeti, letti e scaffali smontati, materassi... Il tutto malamente coperto da teli di plastica, per una vaga protezione dalla polvere.

Respiravo a fatica. L'odore di chiuso che ciascuno di quei mobili conteneva, come ne fosse l'anima eterea, col tempo si era incarognito, sapeva di fiori marciti nel deposito del cimitero.

In fondo al corridoio mi sono trovata di fronte una porta di legno, forse d'epoca. Colin ha aperto con una chiave che aveva in tasca.

Sono rimasta di stucco, non credevo ai miei occhi. Mi trovavo d'improvviso in una camera regale, illuminata da abat-jour disposti nei diversi angoli: una suite con letto grande, dalla sovraccoperta bordeaux e oro. In terra, morbidi tappeti usciti dalle mille e una notte. Sul tavolo, dipinto in bianco e blu, con il piano di marmo grigio, era posata una pianta di camelie, con tante foglie appena nate tra i fiori sbocciati e profumati.

La tappezzeria in taffettà dipinto con tralci di bambù, fiori, uccelli e farfalle mi ha trasportato nella reggia frequentata dalla Marchesa degli Angeli. Accarezzato dalla fievole luce che pioveva da chi sa dove, a occupare l'angolo più lontano dal letto, c'era un salotto suggestivo, composto di poltrona *à la Reine*, in legno di noce scolpito e dorato, a fianco di un divano più sobrio, moderno, con colonne scannellate e pomi a pigna. Ai lati si ergevano due *guéridons* d'argento dorato e ottone, con piano intarsiato in avorio: sopra erano posati due bicchieri della Compagnia delle Indie, da cui si affacciavano mazzetti di pansè.

«Ti piace?» mi ha chiesto Colin, divertito dalla mia stupefazione.

«È fantastico!» rispondo. «Mi sembra di essere in un'altra epoca.»

«Ci faccio la siesta quando sono stanco.»

«Caspita, che lusso! Sono mobili dimenticati dai morti?»

«È un modo per tenerli in vita.»

«I morti?»

«No, i mobili. È un peccato vederli marcire nell'assoluta inutilità. Se potessi, li venderei... perché qualcuno ne goda, e non si sentano abbandonati. Ma sono costretto a tenerli in magazzino. Allora tanto vale che li usi io... Questi, per una camera dove riposare, mi sono sembrati i più belli.»

«Veramente... sembra la camera della regina.»

«Vieni, ti faccio vedere la stanza da bagno.»

Mi sono sorpresa di meno, vedevo ciò che mi aspettavo: vasca grande, maiolicata, specchiere di lusso, poltrone bianche e decine di cuscini anch'essi bianchi, merlettati.

Siamo rientrati in camera da letto e mi ha accompagnato nell'angolo della musica.

«Ho una collezione di dischi d'ogni genere... soprattutto pop... che certo stona con questa camera di Mozart.»

«Qui si ascolta bene il *Te Deum*... ma anche Springsteen, se ce l'hai.»

«Cerca in quella scatola... qualcosa ci dovrebbe essere.»

Ho passato in rassegna i CD... molto jazz e rap. Lui intanto stava tornando in bagno.

«Faccio una doccia veloce... non scappare!»

Ho trovato *The River*, nella stessa edizione che aveva a casa Goffredo. In copertina il volto dell'artista da giovane, la camicia di flanella a scacchi, un filo di barba, il taglio elegante del naso e degli occhi, i capelli disordinati sulla fronte. Ho messo il disco, a buon volume: sono bastate le prime note per farmi correre lontano con la fantasia...

Sono caduta sul divano a occhi chiusi, per lasciarmi portar via dalla musica... nella cruda America di muriccioli, di alberi sfogliati nella nebbia, davanti ai grattacieli.

Mi ero a lungo persa quando le labbra di Colin si sono posate, leggere come una farfalla, sulle mie. Non mi sono mossa, non ho aperto gli occhi. Bruce ci cantava *Hungry Heart*.

* * *

"Cos'è un bacio?" pensa la Marchesa degli Angeli. "Labbra che si congiungono e si confondono insieme.

121

E sono i cuori a congiungersi. Due creature sperdute si riscaldano una nel respiro dell'altra, si riconoscono nel buio di una notte in cui hanno troppo a lungo camminato soli."

Non ho trovato un muscolo che si ribellasse, un filo di voce che avesse l'intenzione di dire no.

Vorrei riuscire a riprodurre il mio sconvolgimento di quella notte. E sento il bisogno di chiedere aiuto al mio romanzo del cuore. Nascondendomi dietro Angélique mi sento più tranquilla, placo la febbre che il solo ricordo scatena, e mi confonde le parole.

Se non aveva detto nulla dopo quel bacio, era stato per paura di trasgredire a un ordine di lui: «Stai ferma!» le disse cingendole la vita con un braccio. Era la voce di colui ch'ella persisteva a considerare uno sconosciuto. Malgrado ciò, per nulla al mondo avrebbe osato contravvenire all'imposizione, pronunciata con voce neutra, da farle scorrere un brivido lungo la schiena.

"Oh! Come mi fa paura, e come mi attira!"

Chiudeva gli occhi, rovesciava la testa nell'abbandono. Si lasciava girare e rigirare, come un guanciale troppo caldo. Non avrebbe desiderato per nulla al mondo trovarsi altrove. Viveva qualcosa di spaventoso e di magnifico insieme. E quando sentiva che stava per perdersi nell'orgasmo, si aggrappava alle spalle forti e sudate di lui.

Due braccia la stringevano fino a farle male. Si era avvinghiata a lui come una liana flessibile a un tronco ben solido. Non viveva più per se stessa. Due labbra erano sulle sue e lei ne respirava avidamente i sospiri. Senza quei baci, sarebbe morta.

Tutta la sua persona era assetata del piacere, che la bocca invisibile di lui elargiva generosamente, e ovunque. Non aveva più alcuna difesa. Il suo corpo, offerto alla violenza dell'amore, era come un'alga spinta dalle correnti in una notte senza fine.

Angelica lo amava, come mai nessuno. Era il primo uomo a possederla realmente, quel gentiluomo tenebroso e forte come un moro dagli occhi di fuoco, con le dita che sapevano come volare a fior di pelle per cercarsi un nido caldo. Era un uomo affamato di vita a possederla, e lei si lasciava possedere... sino alle midolla, sino al ventre, sino al cuore, con fanciullesco smarrimento, e anche con tanto coraggio... perché quando un cuore come il suo è colpito, Angelica non ha più vergogna, né fierezza. Lui sentiva la responsabilità quasi paterna di condurla per mano, domarne le infantili intemperanze al solo scopo di metterla sulla buona strada. E a volte uno schiaffo è più convincente d'ogni ramanzina.

Con tenerezza e crudeltà mi faceva i suoi doni, un maschio d'altri tempi, che di certi argomenti non ama discutere. L'aveva detto, quando ci eravamo incontrati la prima volta: vengo da un mondo in cui se non ti convinco ti uccido.

Durante la notte non ho fatto che lasciarmi convincere. Per non essere uccisa.

Abbiamo giocato nella vasca da bagno, ma ho voluto rivestirmi in fretta, mentre ero ancora bagnata. Un ultimo sussulto, prima di consegnarmi del tutto inerte a Colin. Siamo finiti sul letto della regina... con tale foga che siamo rotolati a terra, e là mi sono ridestata per un attimo.

Lui si sedette sul pavimento coperto da un tappeto di velluto e, un po' brutalmente, l'attrasse a sé costringendola a distendersi. Angelica pensò che egli avrebbe ricominciato a baciarla, ma il giovane le sollevò di scatto la gonna e voleva aprirle le gambe. Ella si raddrizzò e lo respinse. Lottarono un momento nella penombra.

«Perché fai la stupida?» brontolò il giovane mantenendola a terra. «Che cosa vuoi?»

«Non lo so» balbettò lei. «Se deve succedere... preferisco tra le ricamate lenzuola della regina!»

«È sul duro che è più bello fare l'amore!»

Già la mattina dopo non ero più io, avevo scoperto in me un'indole appassionata.

Sono crollata nella letargia, per la stanchezza e la sazietà dei sensi. Dormivo di traverso, nuda, mentre Colin si rivestiva. Mi ha baciato sulla tempia, mi ha coperto con il lenzuolo ed è andato a lavorare. Sentivo i suoi passi che si allontanavano nel corridoio.

Dormivo fuori dal tempo e dallo spazio... e per almeno un paio di volte ho sentito due mani che, dopo aver scostato il lenzuolo, mi giravano, mi accarezzavano le gambe, le piegavano e le allargavano. Aprivo un attimo gli occhi e il sole che filtrava dalle fessure mi offuscava la vista: il volto di Colin era scuro, in controluce, la camicia bianca, la giacca di camoscio in stile pellerossa. Mi possedeva con vigore, ma anche con dolcezza, quasi a non volermi svegliare. Mi sentivo penetrare, la gola si spalancava dal piacere, ma ricadevo subito nel sonno. Lui mi copriva con il lenzuolo e tornava al lavoro.

Mi sono immersa nella vasca da bagno nelle prime ore del pomeriggio. Mi accarezzavano tanti piccoli e piacevoli dolori, dentro il ventre e in vari punti del corpo.

Per il pranzo Colin non aveva nessuna sala nobiliare da propormi, quindi abbiamo lasciato la reggia per mangiare qualcosa in una locanda contadina non distante da lì.

Abbiamo divorato un piatto leggero, guardandoci bene dal commentare le meraviglie della notte. Notavo come lui non potesse fare a meno di avere con me un contatto fisico. Con una mano mangiava, l'altra la teneva stretta al mio braccio. Mi scostava i capelli dagli occhi, mi toccava il viso. E io mi sentivo felice, perché era innamorato, si vedeva da un chilometro.

Sentivo l'urgenza di tante domande, ma non erano semplici, senza problemi. Non potevo parlare di Rachele, della bambina, del mio passato, del nostro prossimo incontro... una parola sbagliata e bisognava ricominciare tutto daccapo, ma con più dolore questa volta.

Mi sono limitata a chiedergli di raccontarmi qualcosa di lui ragazzo. L'ho fatto non perché fossi particolarmente curiosa, ma per dare un senso al balbettio con cui provavamo a comunicare.

Cercavamo tutti e due il silenzio, questa la verità. Timidissimi, guardavamo nel piatto e di tanto in tanto gli occhi si incontravano per fare scintille. Mi è sembrato di udire il suo cuore battere quando ho voluto sapere cosa pensava di me, adesso.

«Non me l'aspettavo...»

«Cosa?»

«Mi hai travolto con la tua...»

«La mia?»

«Non so come dirlo, non trovo la parola. ecco! In quella camera nessuna regina avrebbe retto al confronto.»

«Non dire così... invece mi sono sentita fuori luogo, impacciata.»

«Mi fai paura allora!» ha detto sorridendo. «Figurati quando non sarai più impacciata!»

Sono scoppiata a ridere, mentre le orecchie s'infuocavano.

«Che idea ti eri fatto di me? Adesso me lo puoi dire.»

«Qualcosa sapevo... il resto l'ho intuito. Posso dirti che mi hai sorpreso, ma non scandalizzato. Speravo che fossi... come sei. Adesso posso dire di sì.»

«Quelle poche idee che avevi di me... naturalmente, te le ha suggerite Goffredo.»

«Be', sì... certo!»

Bruciavo dalla voglia di sapere con quali termini Goffredo parlava di me a chi non mi conosceva.

«Che idea aveva?»

«Davvero ci tieni a saperlo? Non preferisci cambiare discorso?»

«Non ho paura di nulla, specie adesso che... ho abitato nella tua reggia!» E gli ho baciato il dorso della mano, come si fa con i vescovi.

«Ti voleva molto bene, dalla sua bocca sono uscite solo parole belle.»

«Per esempio?»

«Che sei molto sensibile... e un po' si lamentava di questo.»

«In che senso?»

«Mi diceva che lui non era all'altezza della tua sensibilità, che in fondo si sentiva un superficiale. Si meravigliava del tuo affetto, gli piaceva molto, gli era addirittura indispensabile, ma non lo capiva. Non capiva come mai gli stavi vicino, come mai eri innamorata di lui malgrado le sue scarsissime attenzioni, anche amorose, nei tuoi confronti.»

«Ti avrà sicuramente espresso le sue ipotesi...»

«Non ricordo, non mi pare.»

«Mi sembra strano che non si sia mai dato una risposta a una questione così importante per lui, e per me.»

«Non vorrei essere crudele, ma sono convinto che non gliene fregasse niente di sapere perché lo ama-

126

vi. Lo amavi e basta. Fa comodo a tutti gli uomini avere accanto una donna pronta ad andare sul rogo per loro!»

Mi ha detto queste ultime frasi con uno sguardo che non avevo mai colto prima. Per un momento è balenata nei suoi occhi una luce cruda, cattiva, sfuggente. Ho avuto paura.

Mi sono ripresa immediatamente per non ripiombare nell'atteggiamento guardingo, nella diffidenza che tanto ci aveva fatto soffrire. Ho provato a sorridere.

«Allora mi domando in che modo ti eri fatto un'idea di me attraverso le parole di Goffredo... visto che lui non ne aveva nessuna.»

«Non ne aveva nessuna perché, come molti gay, è cresciuto guardandosi l'ombelico... gli altri esistono solo in funzione sua, non è curioso di sapere cosa fanno i suoi amici quando sono lontani da lui! Cercavo di capire che tipo di ragazza sei proprio dalle cose che non diceva, che di te gli mettevano paura.»

«Paura?»

«Per come l'ho conosciuto io, delle donne sapeva fare sublimi caricature, si sbracciava e sculettava per sbeffeggiarle... invece, quando mi parlava di quella ragazza imprigionata nel silenzio, chiusa da mesi e mesi in un ospedale... gli occhi gli si gonfiavano di lacrime. Gridava a tutta voce, per casa, sputando saliva e lacrime: è colpa mia, è tutta colpa mia se Angelica si è ammazzata!»

L'ho fermato subito.

«Ammazzata?»

«Così diceva...»

«Intendeva dire... che ero andata fuori di senno... che...»

«Sì... mi disse che per colpa sua eri talmente disperata... da aprire il gas e infilare la testa nel forno.»

* *
*

Chi sa per quali misteri della psiche, in quell'istante
io ero un piede, solo un grande piede staccato dal corpo, con i tendini spezzati. Non avevo occhi per vedere
e bocca per parlare. Ero un grosso piede in carne e ossa, che non pensava e non poteva ricevere ordini.

Mi ha chiuso gli occhi un sonno improvviso. Ho
fatto largo davanti a me, scostando piatti e bicchieri,
e ho posato il viso sulle braccia. Volevo dormire, subito, piegata sul tavolo. Non ho detto una parola.

Colin, sbalordito, mi scuoteva. Mi chiamava e mi
scuoteva, mentre io ogni tanto gli sussurravo: «Sei un
mostro... sei un mostro!».

Quando è andato a pagare il conto, ne ho approfittato per scappare fuori, ho attraversato l'aia della
trattoria facendo schiamazzare le galline, e ho imboccato una strada sterrata.

Colin mi è corso dietro, implorandomi di dirgli cosa m'era successo. Gli rispondevo solo e di continuo:
«Sei un mostro!».

Ha provato a fermarmi, a stringermi a sé per cal-
marmi, ma tiravo pugni e calci. E piangevo.

Alla fine è riuscito a spingermi in macchina, sui sedili posteriori. Ha messo in moto, intenzionato a riportarmi in albergo. Lungo il tragitto ho smorzato i singhiozzi, e sono crollata in un sonno muto, da narcolessia.

Stava per consegnare il documento in portineria e
accompagnarmi in camera. Non volevo, minacciavo
di gridare se non se ne fosse andato. L'ho lasciato
fuori dell'ascensore e, barcollando, ho raggiunto la
mia stanza.

Capitolo IX

Il primo istinto è stato di chiamare il portiere pregandolo di non passarmi nessuna telefonata. Poi mi sono buttata sul letto, decisa fortemente a ragionare con giudizio. Ho alzato la cornetta e ho chiamato il dottore all'ospedale.

Non mi piaceva apparirgli tesa e preoccupata, e allora ho preso un tono serio, ma non drammatico. Dopo i saluti e le affettuosità, sono andata al sodo.

«Mi scusi, dottore, vorrei che lei mi dicesse il suo pensiero a proposito di ciò che ho appena saputo.»

«Volentieri, ci mancherebbe altro. Dimmi.»

«Pochi minuti fa una persona mi ha detto che sono stata ricoverata nel suo ospedale in seguito a un tentato suicidio. Secondo questa persona, avrei girato la chiave del gas e infilato la testa nel forno!»

Un silenzio infinito è stata la risposta.

«Dottore, mi sente?»

«Certo, certo... Ascoltami bene, Angelica, cerca di restare calma e fai quello che ti dico. Ti fidi di me, no?»

«Sì, mi fido... ma lei mi deve dire la verità.»

«Ovviamente. Ma non adesso, per telefono. Capisci che questi sono argomenti delicati. Sei ancora in giro?»

«Sì...»

«Quello che devi fare è venire a trovarmi, senza fretta... perché per fortuna stai bene e non hai nulla da temere... ti racconterò e ti spiegherò ogni cosa in maniera che tu possa essere felice di vivere. E credimi, ne hai tutte le ragioni!»

«Dottore, io sono calma... ma dobbiamo incontrarci presto, perché ho il diritto di sapere se è vero o non è vero che ho tentato il suicidio con il gas!»

«Con il gas o con quello che vuoi... non è questo il nodo... la malattia è venuta prima del tentato suicidio... tanto è vero che non si può legittimamente parlare di suicidio volontario quando a ispirare le tue azioni, quel terribile giorno, non sei stata tu, ma il morbo che ti aveva catturato, un morbo che... bisogna pur dirlo... è di per sé una inconscia scelta suicida.

In questo senso, sì... hai provato a farti del male. Certe malattie non si prendono per caso. Molti fattori le possono scatenare, spesso sono congenite, ereditarie, vengono da molto lontano. Tu hai avuto uno zio suicida, un fratello di tuo padre, non so se lo sai... comunque non è importante.

È vero, non ti ho mai parlato di quel brutto episodio... pensavo di farlo dopo... quando la rivelazione non ti avrebbe fatto male. Ero d'accordo con tua madre di non parlarne, per il momento... e di prendere più in là il toro per le corna.

Mi dispiace che qualcun altro si sia messo in mezzo. Devi sapere, cara Angelica, che nessuno ha mai saputo del tuo gesto. Fin dal primo momento abbiamo parlato di malattia... non capisco chi poteva essere al corrente dell'accaduto.»

La mia malattia, benché grave, non sbucava dal nulla, come l'appendicite o il tumore al seno. Oppressa dai problemi, dai conflitti interiori e dai dubbi, non trovando una via d'uscita, ho tentato di ammazzarmi. Io stessa ero stata la mia malattia.

«Dottore, è ben diverso se la disgrazia ti arriva addosso o se la provochi tu! Nel primo caso, una volta guarito non ci pensi più, nel secondo no, ci pensi. Nel secondo caso vivi nella paura che possa riaccadere. Ho provato a uccidermi... chi mi garantisce che non lo farò una seconda volta?»

«Angelica, ti prego... non si può discutere di queste cose per telefono... prendi subito un mezzo e vieni da me, ne parliamo con tranquillità... vedrai che poi a questo triste affare non ci penserai più. Non guardare solo il brutto delle cose... Ti rendi conto della fortuna che hai avuto? È un miracolo se adesso stai bene e puoi andartene a spasso come se niente fosse.»

«Vorrei provare a superare da sola questo momento, dottore... visto che non si tratta di medicine, ma di parole. Non dovessi proprio farcela, se avessi anche il più piccolo attacco di panico... correrò da lei, promesso. Sarà d'accordo che se ce la faccio da sola a uscire da questa trappola, il risultato sarà più solido.»

«Le tue gambe ti bastano per andare avanti, Angelica! Sappi che ti sono sempre vicino. Se hai bisogno, prendo l'aereo o il treno, o la macchina, e in poche ore sarò accanto a te.»

«C'è solo un'immagine che mi dà raccapriccio e dolore.»

«Quale immagine?»

«Io, in ginocchio, con la testa nel forno mentre succhio il gas. È terribile, insopportabile!»

«È vero... è qualcosa di molto difficile da rimuovere, da dimenticare. Forse è meglio se la scena te la vedi e rivedi mille volte nella testa... deve portarti alla nausea. Meglio così che cercare di non pensarci... altrimenti ti comparirà all'improvviso, soprattutto nei sogni, come un incubo. Se un giorno riuscirai a ridere di quella immagine, vorrà dire che dentro di te l'episodio è morto e sepolto.»

* * *

Chiusa la telefonata con il dottor Stigliani, pensavo di stare meglio. Non era così, perché avevo avuto la conferma di essermi uccisa, senza riuscirci. Colin aveva detto la verità.

Adesso non avevo paura solo degli altri, ma anche di me, come se nel mio corpo dormisse uno spirito da non risvegliare per nulla al mondo.

Mi figuravo con sdegno il quadro tragicomico di me con la testa nel forno, e nello stesso tempo quella scena mi attraeva, come qualcosa di oscuro, di inesprimibile a parole.

Ci vuole una grande determinazione per girare la manopola del gas e a respirare il veleno a pieni polmoni. Il suicidio è masochismo estremo, è una perfetta simbiosi di Narciso ed Eco: lui morto nell'atto di ammirarsi, lei ridotta a pura voce, per aver sacrificato tutta se stessa all'innamorato. Nel momento di infilare la testa nel forno ero i due insieme, masochista e narcisista. Mi piaceva vedermi soffrire.

Se avessi portato con me la boccetta dei calmanti, quello era il momento di mandare giù una ventina di gocce. Inutile andare in farmacia senza ricetta. Mi sono allungata sul letto, ho chiuso gli occhi e ho preso a respirare profondamente, contando a voce alta da uno a cento, sempre con lo stesso ritmo.

In effetti mi sono sentita meglio, e quando i brutti pensieri hanno cominciato a venire a galla, ho aperto il frigobar, ho preso la boccetta dell'amaro e ho ingoiato d'un colpo il liquore. Senza porre tempo in mezzo, ho svuotato anche la bottiglietta della vodka.

Mi sono avvicinata alla finestra e in un attimo ho visto tutto più chiaro, dilatato, lento. Ho riso, non so perché, una risata lunga una decina di minuti. Mi sbellicavo e lacrimavo, seduta sul letto o buttata in poltrona. Sapevo che era isteria, ma non importava: ridevo pensando a com'era comica la mia vita.

Finito di ridere, siccome ci avevo preso gusto, ho ingurgitato anche la boccetta del brandy: buono! Le palpebre si sono un po' abbassate e il senso d'angoscia è andato a nascondersi da qualche parte. Ho perfino intonato una canzone di Springsteen intitolata *I'm on Fire*, una ballata che dice: "Mi sveglio di notte tra fradice lenzuola e con un treno merci che mi corre nella testa. Solo tu puoi raffreddare la mia passione... sto bruciando!".

Poi sono crollata di nuovo in poltrona, dove ho passato non so quanto tempo in una specie di coma, dormivo e sorridevo, mi svegliavo ridacchiando e ricadevo nel nulla.

E quando la città è diventata rosa annunciando la sera, ho svuotato l'ultima boccetta di liquore, un centerbe che veramente mi ha mandato a fuoco. Mi sono accorta allora che ero brilla. Ho bevuto un'intera bottiglia d'acqua minerale, nella speranza di diluire l'alcol che avevo in corpo. Forse ci voleva un caffè!

Il telefono era muto, avevo dimenticato che ero stata io a chiedere di non passarmi alcuna comunicazione, e adesso, ricordandolo, me ne pentivo. Avevo bisogno assoluto di non parlarmi addosso. Dentro di me si svolgeva una terribile lite, con urla, minacce e insulti. Ne percepivo il caotico brusio, ma non le parole. Era come assistere a una sceneggiata napoletana dalla finestra del palazzo accanto: mia madre, Goffredo, Rachele, Colin, il dottor Stigliani se ne dicevano di tutti i colori, mentre la bambina piangeva.

Qualcuno bussa alla porta, con timidezza. Barcollando un po' vado ad aprire: è il portiere.

«Mi scusi, signorina... come si sente?»

«Non capisco.»

«Come sta, si sente bene? Vuole che le chiami un medico?»

«Sto benissimo, grazie...»

«È sicura?»

«Mi vede strana? Come mai mi fa questa domanda?»

«C'è il solito signore giù che l'aspetta da ore. Voleva chiamarla, ma non gliel'ho permesso... Siccome lei non scendeva, mi ha infilato un brutto dubbio in testa, mi ha detto: vada a controllare, non vorrei che la signorina si sentisse male... forse ha bisogno di un medico. E io, per scrupolo, invece di chiamarla al telefono, sono venuto a controllare di persona. Mi scusi del disturbo...»

«La ringrazio della sensibilità... Mi faccia un piacere, vorrei un caffè doppio, me lo può mandare?»

«Certamente.»

«Anzi, faccia una cosa... la tazza del caffè la dia al signore che aspetta... gli dica di portarla su lui.»

«Lo faccio salire?»

«Con il caffè!»

«Benissimo, arrivederci.»

«Grazie mille!»

Arriva portandomi il caffè doppio, dopo aver lasciato in portineria la carta d'identità intestata a Goffredo Colin. Vede le bottigliette vuote, mi studia gli occhi. Sorseggio il caffè sfidandolo e trattenendo a malapena una risata. Sto seduta sulla poltrona, lui si mette per terra, le spalle appoggiate al letto. Mi guarda. Non diciamo niente per un po' di tempo. Mi sento sciolta, come se l'alcol mi avesse slacciato le scarpe, sbottonato la camicia e allentato la gonna.

Per distogliere i suoi occhi dai miei, lentamente tiro su la gonna e allargo le ginocchia. Lui mi accarezza una caviglia, il capo mi cade all'indietro, gli occhi chiusi. Sono su di giri.

«Mi gira la testa!» dico con poco fiato.

«Ti farebbe bene un bagno caldo... e magari anche un massaggio... vado a preparare la vasca.»

Si alza, sparisce nel bagno.

Mi tratta come una bambina, come fosse un padre che si sostituisce alla madre. Mi spoglia con gesti burocratici, senza il minimo turbamento. Io sto in piedi e lo lascio fare. Sfilate le mutandine mi accompagna al bagno. Sto per entrare nella vasca, ma lui vuole assolutamente che prima faccia pipì. Dopo un attimo di esitazione, obbedisco.

E obbedisco anche quando mi indica il bidè. Io devo solo stare ferma, pensa a tutto lui. Si insapona le mani e mi lava con delicatezza.

Mi sento svenire, ovviamente, anche perché le sue dita dolcissime e calde sanno dove indugiare. Mi fa alzare e mi indirizza verso la vasca. Ma non resisto più, voglio fare subito l'amore, cerco di slacciargli la cinta. Lui si arrabbia... urla qualcosa che non capisco.

Si siede sul bordo della vasca, mi gira, mi piega sulle sue gambe e me le dà di santa ragione, sulle natiche, insultandomi, ricordandomi che mi sto comportando per quello che sono, cioè una puttana.

Lo imploro di fermarsi. Ma lui picchia ancora di più. Allora, per farlo desistere cerco di impietosirlo, mi metto quasi a piangere chiedendogli perdono. Ammetto di essere una puttana, ammetto tutte le mie colpe... purché non mi sculacci più. Ma lui non si ferma.

Gli dico singhiozzando: basta, farò tutto quello che

vuoi, tutto quello che mi comandi! E lui: proprio tutto? Gli giuro di sì, tutto quello che vuole.

Mi lascia entrare nella vasca e pensa lui a insaponarmi. Mi ordina di chiudere gli occhi. Dopo un po' mi prende le mani e le porta verso di sé. Mi accorgo che è nudo. Entra nella vasca anche lui.

Quel giorno è cominciato per me un viaggio pieno di scoperte.

"Quella nave portava l'amore come portava l'odio" si legge nel racconto piratesco di Angélique. "Dopo aver deciso che non voleva impazzire, ella trascorreva il tempo a tenere a bada i pensieri più tumultuosi."

Sono stata io a provocarlo, liberata dalle timidezze a causa dell'alcol. E lui non si è tirato indietro, anzi, ha trovato immediatamente sintonia con i miei nuovi desideri.

Mi ha bendato con l'asciugamano e mi ha guidato verso il letto. Ero totalmente assoggettata alla sua volontà.

Con gli occhi tappati, non sapevo dove avrebbe messo le mani, cosa avrebbe preteso da me... l'insidia poteva arrivare da ogni parte. Mi ha spinto sul letto, le ginocchia quasi a terra, il viso contro le lenzuola.

Temevo che mi sculacciasse ancora, invece mi ha soltanto divaricato le gambe... e quando ho capito cosa intendeva fare, mi sono girata di scatto e mi sono alzata in piedi togliendomi l'asciugamano dagli occhi.

Gli gridavo se era pazzo, se voleva farmi male. Lui non ha detto nulla, mi ha girato ancora, ha unito le mie mani dietro la schiena e le ha legate con lo stesso asciugamano. Sentivo stringere i polsi e intanto lo scongiuravo di non farmi soffrire.

Mi ha ricordato che gli avevo promesso di fare di me tutto quello che voleva. Gli ho risposto che era vero... ma non potevo immaginare...

Allora lui mi ha liberato le mani e mi ha comandato di andare a prendere i suoi pantaloni lasciati a terra nel bagno. Ho obbedito. Sono tornata da lui con i calzoni in mano, non sapevo cosa volesse fare e quindi mi stavo sempre più eccitando.

Mi impone di sfilare la cinghia e di consegnargliela. Tremo, ma faccio come ha detto: tiro fuori la cintura dai passanti con le mani che tremano e gliela consegno, chiedendo con gli occhi pietà.

Lui mi domanda, con asprezza: sai cosa devi fare? Dico sì con la testa, rassegnata. Mi metto in ginocchio per terra e lui mi comunica che mi darà dieci cinghiate, cinque sulla natica destra e cinque sulla sinistra. Dopo ogni colpo devo dire quanti ne mancano per arrivare a dieci. E comincia.

Il sedere già mi scotta per gli schiaffi di prima, la cinghia mi brucia. Dopo ogni frustata conto i colpi che rimangono. E lui, ogni due, tre cinghiate, fa una pausa... intinge le mani nel mio corpo e sparge l'umore, abbondante, sulle mie natiche, come a lenire le ferite e a prepararsi per l'attacco finale.

In quelle carezze c'è il doppio del piacere, proprio perché portano dolcezza. Poi si succhia le dita e giù altri colpi di cinta. Mi consolo, in pieno languore, all'idea che presto uscirò dall'imbuto, verso la luce. C'è un premio che mi aspetta dopo il decimo colpo, perché sono stata brava e obbediente.

Quando, ormai notte, arriva l'immobilità esausta e silenziosa di entrambi, tra dolori e ultimi spasmi, mi sento felice di avergli permesso di fare scempio del mio corpo.

Nello stesso tempo, però, sono morsa dalla paura di non poter fare a meno di lui. Mi ha arpionata nel punto più fragile, più irragionevole. Se il gioco continuasse anche lontano dal letto, la mia volontà sarebbe nelle sue mani: ogni offesa ricevuta, di qualsiasi natura, rientrerebbe nella ritualità totalizzante del nostro fare l'amore.

E quando l'amore è tutto, gli amanti che non si toccano passano il resto del tempo a prepararsi all'incontro. Ogni cosa che pensano o fanno non ha altro scopo, è preludio della notte.

Per un attimo ho creduto di essere vittima di una trama, di una sua strategia per tenermi in pugno. Perché?

Gli faceva paura la mia libertà di pensiero. Era necessario che trovassi la forza di separare i due momenti, quello dei sensi e quello della fredda quotidianità: padrone sì, ma solo a letto!

Malgrado la buona volontà e i bei ragionamenti, non potevo sopportare l'idea di perdere Colin. L'emozione provata con lui non pensavo esistesse. Aveva fatto finalmente sbocciare in me una femminilità e una sensualità a cui stavo rinunciando, giorno dopo giorno.

Se fosse finita, non avrei mai più incontrato un altro uomo capace di infiammarmi in quel modo. L'amore non si impara, sta nascosto dentro ognuno di noi, bisogna solo incontrare qualcuno che lo stani.

Mi sono girata a guardarlo, dormiva bocconi, come un guerriero dopo la battaglia, i muscoli ancora tirati e i graffi sulla schiena, le labbra arrossate. Gli ho baciato la tempia, aveva i capelli ancora bagnati di sudore.

* *

Ho cercato di prendere sonno, ma più mi allontanavo dalle emozioni recenti, più tornavano a baluginarmi dentro gli occhi le immagini di me in ginocchio, con la testa dentro il forno. Con morbosa fantasia mi piaceva perfino vedermi nuda mentre respiravo il gas, obbedendo agli ordini del mio padrone e angelo custode Colin, anche lui nudo e con la cinghia in mano.

Allora, per la prima volta, nel silenzio della notte, guardando il soffitto, mi sono posta la domanda più logica: perché Colin era stato così crudele da ricordarmi il tentato suicidio? E, in più, senza farsi scrupoli a nominare il forno?

Voleva chiaramente mettermi in difficoltà, indebolirmi, obbligarmi nella condizione di aver bisogno d'essere consolata. Lui era lì, pronto ad accogliere i miei dolori e a placarli... per accumulare riconoscenza, e devozione. Non poteva essere soltanto mancanza di sensibilità. Anche il più maleducato degli uomini non ricorderebbe a una ragazza, con cui ha passato una meravigliosa notte, che ha tentato di ammazzarsi con la testa dentro al forno.

No! Sapeva di farmi del male e l'ha fatto perché poi voleva leccarmi le ferite.

Per strane associazioni mentali, incoraggiando il mio lato tenebroso, ho cominciato a immedesimarmi in Goffredo, totalmente plagiato da Gregor, il misterioso pittore sparito dalla circolazione.

L'uomo aveva consumato la tortura, approfittando delle paure del giovane amico; ne aveva risvegliato i fantasmi mettendogli di fronte, spietatamente, la sua solitudine. Quanto più lo piegava e lo avviliva, tanto più poteva proporsi come dottore dell'anima: gli apriva una ferita con il coltello, poi amorosamente gliela curava e la sanava, fino alla pugnalata successiva.

Chissà se Goffredo, com'era successo a me con Colin, non aveva sperimentato un incontrollabile piacere nell'offrirsi anima e corpo al pittore, lasciando che quello lo usasse come una torta in frigorifero, da gustare a piacimento. Goffredo si era sempre sentito ben protetto dal proprio egoismo. Soltanto di fronte al diavolo in persona, capace di levargli la corazza e rimbecillirlo d'amore, poteva diventare uno scricciolo, un pulcino senza piume.

Come può andare avanti una storia così, e per quanto? Com'era finita quella tra Goffredo e Gregor? Uno scomparso di qua, l'altro di là. Tutti e due nel buio.

Ho svegliato Colin pregandolo di rivestirsi e di andare a casa sua. Dopo aver interrogato a lungo le mie pupille, si è alzato. Rivestendosi, mi ha parlato senza guardarmi.

«Scusami, Angelica... oggi... sì, ho sbagliato. Magari tu stai faticando per dimenticare... poi arrivo io... sono stato uno stupido... ti prego di scusarmi.»

«Visto che sei tu a tirare fuori l'argomento... sono convinta che sapevi benissimo di farmi del male.»

«Perché dici così?»

«Non mi hai solo ricordato il gesto disperato... mi hai anche descritto il modo... quasi con compiacimento.»

«Sciocchezze!»

«Perché ricordarmi la testa nel forno... a che serviva?»

«Ho parlato a ruota libera... la frase m'è venuta così... ti ho chiesto scusa... e non mi pare il caso di fare il processo alle intenzioni!»

Da questa veloce schermaglia ha preso avvio una lite rabbiosa, quasi tutta a bassa voce per non sveglia-

140

re i clienti dell'albergo. Mi accusava di aggredirlo perché ero spaventata di me stessa... secondo lui non gli perdonavo di aver portato alla luce i miei istinti sessuali... lo trattavo male perché si era approfittato delle mie debolezze per fare i suoi comodi. Io, al contrario, gli rimproveravo di essere un freddo calcolatore. Da quando ci eravamo conosciuti, non aveva avuto un solo gesto spontaneo: tutto calcolato, senza passione. Una donna si accorge quando un bacio è vero. I suoi erano senza cuore...

Lui, sempre più teso e con le mascelle paralizzate, al culmine della lite, mi ha detto che ero malata... e non perché recitassi la parte della puttana pentita, ma perché adesso piangevo lacrime di coccodrillo. Ero malata di bigottismo, una poliziotta della buoncostume che la notte si masturba immaginando di essere stuprata da una banda di delinquenti.

Per tutta risposta gli ho urlato con la voce rotta che era un impotente, al contrario di quel che voleva sembrare. Un uomo che nella donna sa vedere solo il sollazzo, è vuoto dentro, è come l'ingordo che bada alla quantità... è in sovrappeso, un bulimico del nulla.

Mi sono avvicinata fino a un palmo dalla sua faccia e gli ho detto, fissandolo negli occhi, che per lui, io o una vera puttana, siamo la stessa cosa. Mi ha colpito con uno schiaffo improvviso, in piena guancia, sono caduta sul letto con gli occhi spaventati e la tempia dolorante, nell'orecchio rimbombava una nota lunga e ossessiva.

Con gesti forti, concitati, e anche goffi, ha provato a possedermi, furiosamente. La mia resistenza è durata pochi attimi. Ho perso la testa, diventando estremamente cedevole nelle sue mani. L'orgasmo è arrivato quasi subito, a entrambi, con un'intensità mai provata prima.

Siamo rimasti immobili, il suo corpo come morto sul mio. Stavo per addormentarmi, ma se chiudevo gli occhi mi girava la testa. Lui si è attaccato alle mie labbra con un bacio che un occhio esterno avrebbe detto innamorato.

Io invece intuivo che voleva dimostrarmi di saper baciare con amore. Avrei voluto ridere, ma l'ho stretto forte a me.

Si è alzato ed è andato in bagno per una doccia. Sono rimasta sola. Avvolta nel lenzuolo, ho guardato dalla finestra la strada illuminata dai lampioni e dalle scritte al neon. Il cuore si è stretto dall'emozione... abitavo l'ultimo piano di un grattacielo, nella camera d'un albergo di New York; avevo fatto l'amore con Bruce Springsteen, che ora stava sotto la doccia.

Sì, mi sembrava di vivere dentro una grande finzione, dove tutto è evanescente, dove si possono attraversare i muri, trovarsi nello stesso momento a Nevada e a New York, innamorarsi di un fantasma che porta il nome di un vecchio amico scomparso...

Che avessi tentato il suicidio non lo sapevo, quindi non era successo. È successo nel momento in cui qualcuno me l'ha detto. La verità è sempre una delusione. Il mondo che ci proiettiamo, che non esiste, è migliore.

A passi sicuri sono andata nel bagno e mi sono fermata sulla porta. Colin stava davanti allo specchio, l'asciugamano intorno alla vita, si pettinava. Non mi ha visto.

L'ho chiamato a voce alta: «Gregor!».

Lui si è girato di scatto verso di me con un dolcissimo sorriso. Ma si è reso immediatamente conto di essere caduto in una trappola. È impallidito, e ha finito di pettinarsi senza dire nulla.

Era molto nervoso, il viso coperto di sudore. Sempre senza dire una parola, si è vestito.

Io, che avevo seguito i suoi gesti, ho rotto il silenzio, sempre con voce perentoria.

«Voglio incontrare Goffredo, di te non mi fido!»

Ci ha pensato un po', guardandomi con un certo sdegno.

«Va bene... domani o dopodomani ti porto da lui.»

Quando ha lasciato la camera non mi ha dato neanche un bacio.

Capitolo X

Per tutto il giorno dopo non si è fatto vivo. Ero molto irritata, ma non volevo esserlo. Sia la mattina che il pomeriggio sono andata a spasso nella inconfessata speranza che mi seguisse da lontano, per studiare le mie mosse.

Camminavo piacevolmente indolenzita dai lividi. Sono arrivata fino alla stazione, dove ho gironzolato. Mi sono fatta portare con un taxi vicino al magazzino. Ho detto all'autista di aspettarmi, sono scesa e ho camminato là intorno sperando di incontrarlo. Niente.

Allora ho chiesto al tassista di accompagnarmi a via Luigi XIV. Qui, a distanza di sicurezza, ho atteso un'ora buona per vedere se dal portone usciva qualcuno. Ho cercato anche di capire quali erano le finestre del loro appartamento, ma il palazzo intero sembrava disabitato.

Tornata al Rescator, ho chiesto al portiere se mi aveva cercato qualcuno. Nessuno. Né di persona né al telefono. La giornata se n'era andata così. Più di una volta sono stata tentata di alzare la cornetta e di chiamare direttamente i magazzini o casa sua.

No, sarebbe stato un segno grave di sottomissione e di resa: come dirgli esplicitamente che mi era più necessario del pane. No, meglio rodersi l'anima in solitudine, e lasciargli la prossima mossa.

La notte è passata in bianco. Leggevo Angelica, chiudevo gli occhi per una mezz'ora e riprendevo a leggere, fino al momento in cui è entrato il primo sole. Non volevo scendere, ho ordinato la colazione in camera, abbondante perché la sera prima non avevo cenato. Non sapevo come passare il tempo. Rifiutavo un'altra giornata di cattivo umore.

Ho cercato di farmi bella, ma avevo ben poco da indossare. Sono andata a comprarmi un vestitino allegro e un paio di scarpe. Tornata in camera, era già mezzogiorno. Ho accusato una improvvisa crisi di nervi, un senso di estraneità rispetto alle cose, come se fossi invisibile.

La sola idea di passare anche quella giornata senza Colin mi gettava nello sconforto. Se lo avessi avuto lì in quel momento, mi sarei messa in ginocchio e piangendo gli avrei chiesto scusa per tutte le cose brutte che gli avevo detto, e avrei anche giurato sulla testa di mia madre che non l'avrei più insultato.

Nel sogno ad occhi aperti mi stava di fronte, e mi fissava pulendosi le unghie con le unghie, le spalle contro il muro. Io, piangente, ai suoi piedi, gli dicevo: "Non posso più vivere senza di te, ti amo perdutamente. Da questo momento in poi non cercherò più motivi per litigare... e, lo giuro ancora su mia madre, ho definitivamente cancellato Goffredo dalla mia vita!".

Come risposta lui mi prendeva le mani, mi alzava, mi stringeva a sé e mi baciava con tutta l'anima.

I minuti che passavano si facevano sempre più pesanti. Mi sono arresa, ho preso dalla borsetta il numero di telefono e l'ho chiamato a casa. Mi ha risposto Rachele, tutta contenta.

«Ma che bello sentirti!»

«Ho un po' di tempo, mi piacerebbe incontrarvi... come sta la bambina?»

«Severina è un fiore... ha le guancette rosse, quando posso la porto al sole, il dottore dice che è tutta vitamina che fa bene alle ossa...»

«Eh, beata lei che scopre il mondo dal sole! Tuo marito come va?»

«Meglio, molto meglio... è tornato e... questi giorni è quasi sempre a casa, si è goduto la sua bambina! Se vieni stasera, ci sarà anche lui... preparo una cenetta con i miei pezzi forti. Ti faccio l'anatra al forno rivestita di miele. Ma non è un dolce, non ti spaventare. Ti aspetto alle otto... otto e mezzo, va bene?»

«Facciamo così, parlane prima a tuo marito, quando lo vedi... ti richiamo nel pomeriggio per la conferma.»

«Perché devo parlare con lui? Voglio fargli una sorpresa. Non gli dico niente, sarà felicissimo. Vieni, ti aspetto...»

«Ma sei sicura che lui ci sarà?»

«Ti aspetto...»

* * *

Mi sono presentata con un giocattolo di cubi, sfere e piramidi comprato in farmacia. È venuto lui ad aprirmi, è rimasto di sale. Il tempo di dirci buonasera ed è arrivata Rachele, alle sue spalle.

«Hai visto qual era la sorpresa?»

Lui mi ha accolto in casa, molto imbarazzato.

La bambina è sul seggiolone, in cucina con la madre; noi due ci siamo seduti in sala da pranzo, io sul divano, lui su una sedia di fronte a me. Rachele entra ed esce finendo di apparecchiare la tavola.

«Non vedermi come una brutta notizia... non sono venuta per romperti le scatole.»

«Sapessi quanta gioia mi stai regalando... Volevo chiamarti in albergo... ma sai, ieri e oggi sono stato in giro... sono riuscito a prendere contatto con Goffredo... domani pomeriggio potremo andare a incontrarlo.»

«Dove?»

«Verso nord, piuttosto lontano.»

«Non sono venuta per questo. Avevo voglia di vederti... mi sei mancato troppo. Ho paura di essermi innamorata senza via di scampo.»

Lui sorride e mi accarezza una guancia, come si fa con un bambino che promette di non essere più cattivo.

«Anch'io sono innamorato di te... e mi pare strano dirtelo... dovresti saperlo.»

Ci interrompe Rachele, che entra nella sala da pranzo spingendo il seggiolone con la bambina a bordo.

«Tu-tù... ecco, il treno è arrivato! Severina ha già mangiato. Appena sbadiglia, Goffredo, portala nel lettino... io controllo l'anatra.»

Lascia lì la creatura e torna in cucina. Faccio un po' di feste alla piccola, ma lei fissa il padre quasi chiedendogli aiuto.

«Hai una bambina molto graziosa.»

«Somiglia alla madre...»

«Non è vero, ha i tuoi stessi occhi.»

«Peccato, perché gli occhi di Rachele sono più belli.»

Questa frase mi fa male, ma invece di incupirmi, sorrido.

«Sei innamorato anche di lei?»

«Non lo so... sono confuso. Adesso penso a te e basta! Scusa, porto la bambina di là, torno subito.»

«Prego, Gregor, fai con calma.»

Mi lancia uno sguardo nero, prende in braccio Severina e sbaciucchiandola la porta via, mentre giunge

147

Rachele con due bicchieri di vino bianco freddo sul vassoio.

«Un piccolo aperitivo... un vinello leggero delle colline qui vicino... se vuoi un po' di granatìna, vado a prendere la bottiglia.»

«No, va bene così, grazie.»

Si siede al posto del marito.

«Brindiamo!»

«Cin cin!»

«Mi piacerebbe tanto che tu diventassi la zia di Severina... zia Angelica!»

«Per carità! Le zie sono noiose.»

La guardo per capirne l'umore. «Ti vedo più tranquilla... le cose si stanno mettendo a posto tra te e... lui?»

«Sì... certo! Anche Goffredo sembra più tranquillo. Da quello che ho intuito, è riuscito a rintracciare il tuo ex fidanzato. Spero si chiarisca tutto subito.»

«Mi hai detto che in questi ultimi giorni è stato molto in casa...»

«Sì, ha preso una piccola vacanza dal lavoro... voleva stare con la bambina.»

La fisso molto attentamente, perché mi sta mentendo. Forse la poverina non vuole confessarmi che le cose, al contrario di quel che dice, vanno male, ecome... È l'unica spiegazione di quelle bugie.

Gregor ritorna soddisfatto, è riuscito ad addormentare la bambina. Guarda i due bicchieri di vino con una smorfia di acuto dolore.

«Ci possiamo mettere a tavola!» esclama Rachele alzandosi per prima. Distribuiti i posti, fila svelta a tirare fuori l'anatra dal forno.

Ottimo piatto davvero. Il miele aveva formato una crosta nient'affatto zuccherosa intorno alla carne, conservandone sapore e sostanza; un'insalata di agrumi ha fatto da contorno.

«È il piatto che mi viene meglio... l'ho imparato quando servivo al Relais Bisson, un ristorante chic, francese, che adesso non c'è più... c'è una pizzeria! Il cuoco che me l'ha insegnato era un marocchino che in tutte le pietanze voleva mettere la cannella. Bravo, bravissimo... ma fissato con la cannella... diceva che quello era il suo modo di fare la rivoluzione... è stato cacciato per la cannella! E tu, Angelica, sai cucinare?»

«So fare solo alcuni dolci... anche il difficilissimo babà. Per il resto sono una frana.»

«Però il babà non lo mangi, si vede! Come fai a rimanere così magra? Quanto ti invidio!»

«Perché dici così, hai un corpo perfetto...»

«Trovi?»

«Chiediamo a tuo marito...»

«Angelica ha ragione, anch'io trovo che il tuo corpo è semplicemente perfetto, Rachele!» chiude il marito non nascondendo l'infinita noia che prova per l'argomento.

La serata prosegue più o meno con quel tipo di conversazione, meccanica e recitata a memoria, da non creare problemi a nessuno. Io aspetto solo il momento dei saluti, nella speranza che lui mi riporti in albergo con la macchina: voglio toccarlo, sfiorargli il collo con le labbra.

Alla fine della cena non parlo più con naturalezza, balbetto sperando che Rachele non si accorga della mia emozione, degli sguardi veloci e innamorati che indirizzo a suo marito.

La fatidica frase finalmente arriva. «Ti accompagno all'albergo.»

«Non disturbarti, chiamo un taxi.»

Rachele fa di no con la mano.

«Scherzi? Di notte è meglio non girare da sola. Tanto ci vuole poco, non c'è traffico in giro.»

Ringrazio con tutto il cuore la mia nuova amica Rachele, per la squisitezza della cena e per l'affetto che mi dimostra.

Durante il breve tragitto non ci diciamo quasi nulla. Però, prima di arrivare, ferma la macchina ai margini di un parco chiuso, nella penombra tra due lampioni. Giro io la chiave per far tacere il motore, lui spegne le luci: due gesti che sostituiscono un mare di parole.

Ho troppa fretta, mi piego per sbottonargli i calzoni, ho sete di lui, nostalgia dei suoi fremiti.

La mia esaltazione somiglia a quella del giovin signore che spogliava Angelica dentro un portone di Poitiers: non ti muovere, voglio aprire questo busto... Lasciami fare. So come si slaccia! Angelica gettò la testa all'indietro, e gli permise di accarezzarla. Solo che il paggio si guardava nervosamente intorno per paura dei passanti.

Ecco, io sono come quel paggio, lui come Angelica, la testa all'indietro sul sedile della macchina, estasiato dalle mie carezze e dal lungo, lentissimo bacio.

Nell'affannata quiete seguita alla foga parliamo serenamente, senza aprire gli occhi.

«Da oggi in poi ti chiamerò con il tuo vero nome... Gregor!»

«Fai come vuoi.»

«Il cognome non dirmelo, non voglio saperlo.»

«Va bene, non te lo dico.»

«Sei tu il demone che ha annientato Goffredo... Adesso che ti conosco, intuisco tutto quello che è successo tra te e lui. Goffredo è scoppiato, non si è più difeso dalle vecchie paure... e tu ne hai approfittato. Era disarmato, fragile, spaurito.»

«Può darsi.»

«E sicuramente, ci metto la mano sul fuoco, perché conosco bene anche lui, si sarà lasciato distruggere, accecare dalla gelosia. Prima di incontrarti ha sempre difeso il suo amor proprio... come una castità. Tu l'hai violentato, denudato di ogni considerazione di sé. Hai giocato con lui, oggi il bastone domani la carota. Goffredo è un bambinone, e tu lo hai capito subito. Non è così?»

«Mi diverti, continua.»

«Forse tu non agivi con cattiveria, con un preciso disegno... cosa poteva darti uno come lui? No, piuttosto hai trovato un efficace stimolante al tuo sadismo. Goffredo l'hai subito visto come una vittima, e prima di lui hai capito che voleva essere torturato. Ha provato a giocare d'azzardo e, come tutti sanno, il giocatore d'azzardo vuole perdere.»

«Hai letto troppi romanzi!»

«Tutto il ciclo di Angelica. Là dentro ci sei anche tu... travestito una volta da corsaro, un'altra da principe alla corte del re, un'altra ancora da brutale masnadiero che fa sue le donne con un coltello alla gola.»

«Addirittura!»

«Sì, non fare finta di meravigliarti. Hai tante armi... lo sai benissimo. Sei bello, attrai, aggredisci con la carezza e blandisci con lo schiaffo, sai quando assentarti e quando rispuntare, come parlare e come tacere. Ma tu, sono sicura... di fronte a un no secco, preciso, inamovibile e magari sprezzante... saresti capace di tirare fuori il coltello.»

«Coltello... per modo di dire!»

«No, coltello con tanto di manico e di lama affilata!»

Sorride, sempre senza aprire gli occhi. Mi cerca la mano, la porta a sé baciandola con struggimento.

«Angelica... ti amo!»

«Questa è una pugnalata senza lama!»

«Si vede che oggi non sono assetato di sangue.»

«Se il mio racconto non ti ha persuaso... proponi la tua versione, dimmi che è successo tra te e Goffredo.»

«È andata esattamente come hai detto tu: lui pecora, io lupo... lui morso dalla gelosia, e violento quando voleva che io fossi violento! Ti va bene così, posso continuare?»

«Continua.»

«Voleva fare l'amore con me, ma io al massimo, e quando andava a me, mi facevo toccare. Poi, chi sa perché... ha cominciato a pensare che andavo a letto con tutti i suoi amici tranne che con lui... e diventava pazzo! Sbraitava, spaccava tutto ciò che gli capitava tra le mani... e alla fine voleva essere calmato, pur sapendo che lo facevo con i calci...»

«Ti credo, sai, Gregor... stai dicendo la verità.»

«È quello che spero. Non voglio mica annoiarti!»

«Come mai hai tirato fuori la storia del pittore?»

«Perché da piccolo ero bravo a dipingere le casette e i fiori con gli acquerelli. Da grande volevo fare il coloratore.»

«Coloratore?»

«Sì, con la tuta macchiata e una tavolozza di colori in mano. Volevo colorare le case, gli alberi, il cielo, le macchine...»

«Volevi cambiare il colore di tutte le cose?»

«No, mi piacevano il cielo blu, il prato verde, le casette col tetto rosso, le castagne marroni...»

«Ma non erano già così?»

«No, per me no.»

«Ti sei inventato che Gregor fosse un pittore benestante. Perché benestante?»

«Perché ho sempre sognato di essere benestante!»

«Mi stai prendendo in giro?»

«Vuoi che ti dica ti amo o preferisci una pugnalata?»

«Per te sono la stessa cosa.»

«Ma tu cosa preferisci?»

«Il giorno in cui qualcuno mi darà ciò che preferisco non è ancora arrivato. Ma continua... com'è finita?»

«Dopo una notte da tregenda... avevamo fatto a pugni nel garage e io l'avevo ferito a un piede... la mattina dopo, col sangue raggrumato vicino alla bocca, zoppicando, mi si avvicina che era un'altra persona. Aveva capito che così non poteva andare avanti... sarebbe morto. Mi cacciò via di casa, io invece volevo restare, e lui, niente... questa volta era proprio deciso a liberarsi di me. Mi disse che se non me ne andavo subito avrebbe chiamato i carabinieri. Delirava... si metteva seduto per terra con le spalle al muro e mi parlava di te... che ti eri... che stavi all'ospedale per colpa sua... che eri l'unica persona al mondo che l'aveva amato... l'unica... e lui non se n'era mai accorto... se n'è accorto quando nella sua vita sono entrato io. Se tu mi avessi amato... mi gridava... non mi sarei mai reso conto dell'importanza che aveva per me Angelica... adesso non starei qui a rimpiangerla! Invece tu non mi ami... mi odi... così mi tocca piangere perché l'unica persona che mi ha amato non potrà più farlo.

Io gli dicevo: Goffredo, la solitudine è un'arte che si impara... per tutta la mia esistenza non ho mai avuto nessuno che pensasse a me... solo mia madre, qualche volta... tra l'ultimo cliente della notte e il primo del giorno dopo! Ne ho visti tanti di uomini che avevano imparato a stare soli... si consolavano con mia madre... ce n'erano di tutti i tipi... con il tempo ho imparato perfino a divertirmi, spiandoli dal buco della serratura. Ce n'erano di tutti i tipi... chi amava farsi insultare, chi diventava bambino e piangeva con il pollice in bocca, chi portava nella ventiquattrore vibratori e foto di famiglia, chi invece pretendeva di essere guardato mentre faceva la cacca, chi chiedeva soltanto che mia madre gli tenesse la testa e gli cantasse *Carissimo Pinocchio* mentre lui le succhiava un capezzolo. Tutta gente incallita... una marmaglia disfatta come quella che affolla le sale da gioco, sigaretta in bocca, giubbetto in vilpelle, unghie e capelli sporchi, in mano i foglietti delle corse dei cavalli, i numeri della fortuna... Chi sa quanti di loro sognano di sodomizzare il purosangue preferito, magari con l'idea di procurargli piacere... così, per ricambiare, l'animale taglia per primo il traguardo e fa vincere la scommessa.

Dicevo a Goffredo queste cose, ma lui non poteva capirmi... perché nella sua vita c'eri stata tu... gli hai nascosto la solitudine per tantissimi anni col trucco delle tre carte.»

* *
*

Il racconto di Gregor mi ha stordito. È seguito un silenzio che sentivo malinconico. Mi facevano tenerezza, e rabbia, tutti e due, Goffredo e Gregor: il primo più disperato del secondo, pur avendo avuto una vita molto meno burrascosa.

Dentro la mia testa volavano pensieri vuoti; non ero per niente sicura che Gregor fosse sincero. Non escludevo che stesse inventando tutto, divertendosi a dare seguito alla storiella che io avevo provocatoriamente avviato. Glielo dico.

«Mi stai raccontando un sacco di balle... però sei bravo, sembra tutto vero!»

«Non ti ho detto ancora il peggio che è venuto dopo, lo vuoi ascoltare?»

Lo fermo. «No, continuo io.»

«D'accordo.»

«Quel giorno ti sei visto cacciare di casa e ti sei incazzato a morte... avevi capito che Goffredo faceva sul serio, per nessuna ragione avrebbe fatto un passo indietro: il male sofferto fino a quel momento era stato troppo. Tra i due mali ha scelto il minore... quindi ti ha sbattuto fuori. A quel punto, lacerato nell'orgoglio, gli sei saltato addosso e lo hai malmenato...»

«È vero... ma non l'ho fatto perché ferito nell'orgoglio.»

«E perché, allora?»

«L'ho fatto perché a lui piaceva molto quando andavo su di giri e lo picchiavo. Ma vai avanti.»

«Dunque lo hai picchiato... che ne so, magari sì, in garage... e lui, per la prima volta da quando ti conosceva, ha subìto i tuoi colpi con vero gusto... era riuscito a offenderti veramente. In fondo, per la prima volta, lo picchiavi per amore!»

«Forse è vero... ma in quel momento non me ne rendevo conto.»

«Dopo le botte ricevute, Goffredo, contuso e sanguinante, zoppicando perché ferito a un piede, si è alzato da terra, si è trascinato fino alla porta, l'ha aperta e ti ha detto: "Vattene!". Non è andata così?»

«Non proprio. Ha aperto la porta e mi ha detto: "Me ne vado... sparisco dalla faccia di questa terra!".»

«Ah!»

«In quel momento ho capito che era proprio finita la nostra amicizia... Cacciarmi via non gli dava nessuna garanzia... potevo tornare in ogni momento, tampinarlo, ossessionarlo... come fanno tutti gli innamorati. Invece, andandosene lui, scomparendo, non solo per me ma per tutti... non avrei potuto farci nulla. Dove lo andavo ad acchiappare?»

«Già... è quello che è successo a me.»

«Ha venduto casa... e... vallo a trovare!»

«Però non è andata proprio così.»

«Basta metterci d'accordo noi due: vogliamo che sia andata così, o no?»

«È finita in un'altra maniera... perché tu sai dove si è rifugiato. Goffredo è sparito, e tu sei l'unico a sapere dov'è. Non è strano? Lui scappa da te... e tu solo sai dove sta! Come lo spieghi?»

«La nostra storia si è incagliata su questo scoglio. Bisogna trovare una soluzione.»

«Ci vuole il tenente Colombo!»

«No, basta un po' di fantasia.»

«Facciamo che le cose sono andate come dici tu: lui ti ha cacciato, avete litigato... ma poi sei dovuto andare via.»

«Esatto.»

«Passa un po' di tempo, torni a trovarlo, e ti accorgi che nel giro di pochi giorni Goffredo ha venduto casa ed è sparito dalla circolazione. Lo cerchi un po', non lo trovi... ci metti una pietra sopra, te ne freghi.»

«Sei una volpe! Hai indovinato!»

«Passa ancora un po' di tempo, e Goffredo, ormai in pace con se stesso, dopo aver riacquistato un equilibrio, vuole mettersi alla prova... e questa volta è lui che ti cerca... ti becca che bevi in chi sa quale bar.»

«Vai avanti...»

«Non posso... perché non riesco più a capire Goffredo... dopo la vendita della casa e la fuga fatico a riconoscerlo, a indovinare le sue mosse. Adesso capisco perché l'altra volta mi hai detto che Goffredo era diventato un altro, che non l'avrei più riconosciuto dopo la purga del fantomatico Gregor! Non ho abbastanza informazioni... non capisco per quale motivo ti ha passato il suo nome e cognome e perché tu hai rinunciato a chiamarti Gregor per assumere il nome di Goffredo. Veramente sembra una vicenda televisiva per il tenente Colombo!»

«Gregor mi era venuto a noia... e poi non mi aveva portato fortuna. Ti convince?»

«Neanche per sogno!»

«Gli ho detto che ero d'accordo a buttare alle ortiche il mio nome... per il resto ha fatto tutto lui... compresi i documenti miei e quelli della Ford azzurra.»

«Mi sono stufata! Tutte balle!»

«Tanto domani si chiarirà ogni cosa... il resto della vicenda te lo racconterà Goffredo... io gli ho dato la mia parola... e non lo tradisco.»

«Su, metti in moto, non vorrei che a Rachele venisse qualche brutto sospetto.»

«Ti amo!»

«Neanche la contessa di Peyrac e marchesa du Plessis-Bellière oserebbe dire a qualcuno: ti amo! Allora ti rispondo così: anch'io... tanto. Anzi, così tanto che la giornata di domani la vorrei passare con te... non mi portare da Goffredo!»

«No, bisogna concluderla questa storia. Un'altra non comincerà mai se prima non mettiamo la parola fine al film di Goffredo. E poi lui ci aspetta... non vede l'ora di vederti... Quando gli ho detto che stavi bene, non ci credeva. Si è messo in ginocchio e ha ringraziato il Signore con le preghiere del rosario!»

«Le preghiere? Non dirmi che s'è fatto frate!»

«No... ma vedrai tu con i tuoi occhi. Io ti ho avvisato, ti troverai di fronte una persona che non ha più nulla del ragazzo che hai conosciuto tu.»

Capitolo XI

Anche quella notte non ho preso sonno. All'inizio non sapevo perché. Ero contenta. Gregor – mi dovevo abituare a questo nome – mi amava, toccavo con mano il suo slancio sincero. Cominciava ad aprirsi di più, e quando il suo sguardo cercava il mio, si scioglieva, si beava come se avesse varcato la porta di un mondo di meraviglie. Mi solleticava il cuore figurarmelo mentre giocava con l'omosessualità di Goffredo... Mi chiedevo: avrà o no fatto l'amore con lui?

Non mi sembrava possibile. Ha parlato di carezze, e nient'altro. Goffredo l'ha conosciuto quando ero malata, e qualche volta l'accompagnava all'ospedale, aspettava giù, in macchina o fuori. Mamma lo vedeva dalla finestra. Da quel che ho capito, Gregor si era accasato, dormiva e mangiava dall'amico. E chi sa, forse, gli scroccava soldi.

Ora Gregor mi sembrava l'uomo più pulito che avessi mai incontrato, un attimo prima ero sicura di avere a che fare con un depravato. E il risultato di tutto questo, era una mostruosa diffidenza di me stessa.

"Non capisci niente delle cose che ti stanno intorno. La malattia ti ha fatto dimenticare come si riconoscono le persone. Oppure la gente è cambiata e tu la giudichi con un metro vecchio e sbagliato! Ti confondi, portata di qua e di là dagli umori. E poi ti basta poco, ti butti a corpo morto nell'amore, perdendo freni e forse anche dignità. Se stasera Gregor ti avesse rivelato di essere un criminale assassino e poi avesse allungato le mani sul tuo corpo, lo sai benissimo, avresti ceduto, e con un pizzico di piacere in più. Confessalo!"

Con una simile, assurda indagine su me stessa e sulle mie fragilità, ho spento la luce sul comodino. Gli occhi sono rimasti spalancati nel buio; questi ultimi pensieri, che ipotizzavano Gregor criminale e assassino, ne aprivano altri, insospettati e mostruosi: aveva ucciso Goffredo, adesso voleva uccidere anche me perché stavo scoprendo il suo delitto.

Ho riacceso subito la luce, sollevando il busto dal cuscino. Mi sono chiesta: "Dove vuole portarmi domani pomeriggio?".

Sono scesa dal letto e ho girato in tondo per la camera, mentre la paura cresceva dentro di me, si insinuava in ogni cellula. Ero più che certa che l'indomani il terribile Gregor mi avrebbe ucciso, forse strangolato con le mani, in macchina, o con una calza, oppure con un colpo di rivoltella alla tempia.

E avrebbe gettato il mio cadavere in fondo alla cascata, dove gli spaventosi getti d'acqua frantumano ogni cosa. Diceva di amarmi, ma era tutta una menzogna. Era riuscito ad ammaliarmi, a prendermi dal lato più debole... Invece era innamorato di Rachele e della sua pittoresca famigliola. Io ero giunta a Nevada a scombinare ogni cosa. Doveva eliminarmi, ammazzarmi come aveva ammazzato Goffredo.

Sono andata a guardarmi allo specchio, non mi riconoscevo, sembravo una pazza forsennata, una di quelle donne che girano in città con il cane spelato al guinzaglio parlando da sole, con una busta piena di cartacce e la pelle incrostata come un vecchio lavandino che perde.

Stavo in crisi delirante, ne avevo coscienza. Non sapevo come uscirne. L'unica era riempire la valigia, pagare il conto, correre con un taxi notturno alla stazione e aspettare fino all'alba il primo treno per Milano.

Volevo fare così, invece mi sono imposta la calma. Ho spalancato la finestra, mi sono seduta sulla sedia e ho contato lentamente, senza mai affrettare il ritmo, fino a cento. Tra un numero e l'altro, tiravo una profonda boccata d'aria fresca: un po' di tregua per la testa che andava in fiamme.

Alla fine, ogni cosa ha ripreso serenamente il suo posto. Ero andata troppo lontano con la fantasia. Mi ero suggestionata al punto da tremare letteralmente per la paura. Quel povero Gregor lo avevo, in un batter d'occhio, trasformato in assassino, in un mostro machiavellico, bizantino.

Sentendomi decisamente meglio, è arrivato finalmente il sonno. Stavo per addormentarmi quando ho avuto, per proteggermi, l'idea di mandare una lettera al mio dottore.

Ho riacceso la luce, mi sono alzata; ho preso un foglio e una busta dell'albergo, la penna, e ho scritto al medico.

Carissimo dottor Stigliani,
le scrivo questo breve messaggio in un momento delicatissimo della mia vita. Sarò succinta ed essenziale per non farle perdere tempo.
Deve sapere che non sono andata in vacanza come crede, e come crede mamma. Mi sono messa a cercare Goffredo per dirgli che sono guarita, che sto bene e che lui non deve più soffrire per me.

L'ho cercato per mari e per monti, e quando finalmente ho bussato alla porta di Goffredo Colin, a Nevada, vicino al confine con la Svizzera, mi ha aperto un signore che non conoscevo, sposato e con una figlia. Questo signore mi dice di chiamarsi Goffredo Colin.

Io mi sono insospettita, ho pensato a una strana coincidenza, ma non era per niente una coincidenza. Il signore aveva preso il nome di Goffredo, dicendomi che il mio ex fidanzato s'è ritirato in un convento, rinunciando a tutto, anche alle sue generalità.

Sarà d'accordo con me, caro dottore, che la cosa è ben strana, e incredibile. Ho chiesto al nuovo Goffredo, che abita qui a Nevada, al 47 di via Luigi XIV, perché ha preso il nome dell'altro. E lui, dopo mie lunghe insistenze, ha confessato di chiamarsi in realtà Gregor (il cognome non ha voluto dirmelo) e di non potermi rivelare la ragione del cambio di identità. Ma io ho insistito. Gli ho detto che voglio assolutamente incontrare Goffredo.

E sono arrivata al punto, mio caro Stigliani.

Domani pomeriggio questo Gregor mi porterà in macchina in un luogo misterioso dove, secondo lui, ci aspetta Goffredo, che forse è diventato frate.

Io questa notte non sono riuscita a dormire, ho paura che Gregor sia un assassino e mi voglia uccidere come potrebbe avere ucciso Goffredo. Per una buona oretta sono stata convinta di una ipotesi così brutta e tragica. Poi però mi è venuto il dubbio di non stare proprio bene di salute e di avere avuto una crisi nervosa. Forse la colpa è del fatto che ho saputo della testa nel forno, così all'improvviso. La scoperta deve avermi smosso qualcosa di brutto nell'anima.

Adesso mi sono calmata e rivedo ogni cosa nella giusta luce. Sono sicura che il signor Gregor è una buona persona (sto decidendo se innamorarmi o no di lui) e che domani tutto si chiarirà incontrando Goffredo.

Per ogni evenienza, con questa lettera le invio anche al-

*cune foto che ritraggono il signor Gregor e me, scattate du-
rante una gita in montagna.*

*Nel caso mi succedesse qualcosa di brutto (ma non cre-
do), consegni tutto alla giustizia, sia questa lettera che le
foto. Forse è una precauzione inutile, una mezza mattana.*

*Comunque, dottore, credo di avere bisogno ancora di lei.
Non cammino bene con le mie gambe, lo vede da come è
scritta questa scombinata lettera notturna. Sono agitata.
Troppo presto mi sono messa in giro per l'Italia, e senza
portarmi dietro neanche l'Aulin. Mi servirebbe una bella
cura ricostituente.*

*L'abbraccio con tutto il cuore, grazie per il favore (chi sa
se un giorno scriverò il romanzo che le ho promesso), sua
affezionatissima*

Angelica

Non ho riletto, ho infilato lettera e foto nella busta,
l'ho incollata e ho scritto l'indirizzo dell'ospedale.
Sono tornata a letto, e dopo un attimo sono crollata in
un sonno pieno di salute.

*   *
*

Con la luce del giorno la paura era svanita quasi
del tutto. Dopo la colazione e un lungo bagno ristoratore, ho passato più di un'ora a occuparmi della pelle, che accarezzavo con una crema dolcissima e im-
percettibilmente profumata d'assenzio. Ho depurato
e nutrito il viso e il collo, e mi sono sdraiata sul letto,
ancora disfatto e odoroso di notte agitata. Strano, ma
avevo sonno.

Ho messo su i jeans e una maglietta bianca, di
quelle che non arrivano all'ombelico, e sono scesa a
fare due passi e a imbucare la lettera. Poi, gustato un
caffè al bar dell'angolo, sono rientrata al Rescator. Ho
chiamato al telefono il dottor Stigliani.

«Buongiorno, dottore...» Gli ho detto di avergli appena spedito una lettera. L'ho pregato di custodirla, doveva aprirla soltanto se mi fosse successo qualcosa di grave. Me lo sono fatto giurare, prima di ringraziarlo e salutarlo. «D'accordo, allora... conservi la busta chiusa, me la riprenderò quando verrò a trovarla!»

«Va bene, Angelica, la metterò qui, tra le mie cose, dentro il cassetto della scrivania... Ma non mi spaventare... che significa "se mi succedesse qualcosa di brutto"?»

Ho riso per non allarmarlo. «Niente di serio, dottore... stia tranquillo. La ringrazio di cuore, a presto!»

Gregor è vestito di scuro, jeans e giacca nera, scarponcini pesanti, da cowboy, la camicia a quadretti bianchi e rossi come le tovaglie da picnic degli anni Cinquanta. Guida con la postura di chi si appresta a un viaggio lungo.

«Sei vestita troppo leggera... dobbiamo salire.»

«Andiamo verso le montagne?»

«Non ti preoccupare, ho il bagagliaio pieno di roba pesante. Le scarpe, quelle da ballerina?»

«No, ho messo queste di pelle...»

Gira la testa, le vede e fa sì con il capo.

L'autostrada non ha curve, va dritta verso l'orizzonte. Metto un CD di musica allegra per non addormentarmi. D'altra parte Gregor è di poche parole, ogni tanto fischietta e si volta verso di me con sorrisi muti.

Dopo un bel po' di chilometri mi accarezza dal ginocchio all'inguine, e io gli prendo la mano, la sollevo e bacio tutte e cinque le dita. L'indice lo conservo per ultimo perché, facendo la spiritosa, voglio leccarlo come un cremino Algida.

Un paio d'ore dopo, freccia a destra, usciamo dall'autostrada per entrare in una statale a due corsie che attraversa una boscaglia selvaggia, lasciata alla natura. La terra è disordinata, gli alberi vengono su storti, si intruppano e spesso sono strangolati dall'edera; le erbe cattive tolgono luce e nutrimento alle poche buone ma gracili, tormentate da pulci e insetti; l'intrico di cespugli, di tronchi artritici e rami secchi trasmette un universo caotico, umido, umorale, feroce, senza bellezza.

Dal finestrino vedo scorrere un arabesco di cortecce, spaccature, crepacci, sbiadito da ortiche e ciuffi di malerba, in luoghi ostili, minacciosi, incustoditi, dove immobili creature vegetali e primitive lottano per un raggio di sole.

Un'altra deviazione, e cominciamo una lunga salita piena di curve. Mi gira la testa, voglio vomitare.

Ci fermiamo a prendere qualcosa in una locanda affumicata, in fondo allo slargo terroso in cima a un colle. Una sciacquata al viso, un bacio soffocato quasi dall'abbraccio, e ripartiamo.

«Puoi dirmi dove stiamo andando?»

«A incontrare Goffredo.»

«Sei arrabbiato?»

«Ma che dici? Sono felice, non vedo l'ora che questa storia finisca.»

«Quanto manca?»

«Mettiti tranquilla, dormi un po' se vuoi...»

«Quanto manca?»

«Qualche oretta. È lontano... e l'ultimo tratto non è neanche asfaltato.»

Mi accovaccio sul sedile sperando di assopirmi. Lui mi accarezza la schiena, la pelle nuda sotto la maglietta. Gemo, gli vorrei chiedere di fermarsi in un anfratto per fare l'amore. Mi trattengo, anch'io non vedo l'ora che tutto venga alla luce: siamo intrappolati entrambi in una dannazione. È una vicenda che in fondo non interessa veramente a nessuno dei due. Eppure siamo lì, in macchina, in viaggio per incontrare qualcuno di cui ci importa poco, un fantasma.

Nulla da fare, il sonno non arriva. Senza muovermi da quella posizione, gli butto là, come pezzi di carne a una belva dello zoo, qualche domanda.

«Adesso che stiamo per incontrarlo, qualcosa puoi anticiparmi...»

«Cosa vuoi sapere?»

«Faccio delle ipotesi, dimmi se sbaglio.»

«Va bene.»

«Dopo la terribile esperienza avuta con te, forse per non fare la mia stessa fine, Goffredo si fa prendere da una crisi mistica...»

«Non so se crisi o vera illuminazione, a dire la verità... ma è certo... ha scoperto Dio.»

«Conoscendolo, ti confesso, questo non me lo sarei mai aspettato.»

«Neanche io. E glielo dissi... Goffredo, ma se non vai in chiesa dal giorno della prima comunione... che t'è successo, così, all'improvviso? Lui allora s'è messo a parlarmi di san Paolo e di san Francesco... non capivo niente di ciò che mi diceva.»

«Va bene, andiamo avanti. Scoperta la religione... decide di sacrificare tutto se stesso al Signore. Cosa fa? Prende contatto con qualche religioso, un prete...»

«Un monaco...»

«Un monaco... gli chiede consiglio, passa con lui molto tempo per andare fino in fondo nella sua scoperta di Dio... per assicurarsi che si tratta di slancio sincero e non di terrena nevrosi.»

«Hai perfettamente indovinato. Per mesi ha frequentato un monaco, passando intere settimane ospite di un convento a pochi chilometri da casa sua, nella periferia della periferia. Ci dormiva anche. E quando tornava a casa, si metteva in ginocchio e pregava snocciolando il rosario davanti a un piccolo crocifisso benedetto che quello gli aveva regalato. Inutile rivolgergli la parola, non rispondeva, sembrava una statua. Se l'avessi picchiato a sangue, sarebbe morto ai miei piedi senza fiatare.»

«Era proprio invasato...»

«Secondo me era totalmente in sé e sincero. Ma mi posso sbagliare.»

«Non è importante. Io so una cosa... molte persone che scoprono in età adulta una vocazione religiosa, spesso spariscono senza lasciare tracce per chiudersi in qualche convento di clausura e restarci fino alla morte. Ho letto di conventi in cui le persone consegnano i loro averi, dimenticano nome e cognome originari, tagliano ogni laccio con la mondanità.»

«L'ho sentito dire anch'io!»

«Goffredo ha fatto così?»

«Ha fatto così... ma, purtroppo per lui, c'è una persona che sa dove si è rifugiato.»

«E quella persona sei tu.»

«E fra poco saremo in due a saperlo.»

«Perché dici "purtroppo per lui"? Se tu conosci il suo rifugio, che noia gli può dare?»

«Gli ricordo che non è morto, ma vivo. Gli ricordo che ha un passato, che è stato un peccatore, che qualcuno ha tentato il suicidio per lui, che fuori dal suo eremo c'è chi si spacca il culo per vivere. Quando l'ho visto l'ultima volta per parlargli di te, era nero dalla rabbia, però poi, cristianamente, s'è raddolcito con la virtù della pazienza che ha imparato dai monaci.»

«Goffredo vive da tempo in un convento...»

«In un monastero sperduto tra i monti... con uno straccio addosso, il cordone intorno alla vita, scalzo e con la barba lunga.»

«Mi ricorda il Conte di Montecristo!»

«Non lo riconoscerai, ti avevo avvisato.»

«Chi sa quanti libri sacri legge! Mi viene il dubbio che non gli importi niente.»

«Di cosa?»

«Di me... che un bel giorno, piovuta da Marte, mi presento a lui... lui che è vestito da frate e con la barba lunga... per dirgli: padre, guardami, sono viva e vegeta, ce l'ho fatta!»

«Sarà contento, invece... ti vedrà come un premio del Signore. Nel vederti bella e in salute non avrà più colpe da espiare, non ti avrà sulla coscienza. Non dovrà più chiedere perdono per i suoi peccati, ma per i peccati del mondo.»

«E così sia!»

* * *

Adesso la macchina si inerpicava per una strada sconnessa, che lasciava presagire un fondo sterrato e difficoltoso. Le buche ci facevano sobbalzare. Il cielo, nel frattempo, stava scurendosi. Gregor ha acceso gli anabbaglianti, ma quasi subito, dalla sfilza di parolacce che gli sono uscite di bocca, ho capito che era successo qualcosa. Una ruota s'era bucata.

Siamo scesi e lui si è messo immediatamente all'opera, sacramentando. Ne ho approfittato per sgranchirmi le gambe.

«Ho fame!» gli ho detto mentre manovrava il cric.

«C'è un borghetto qui dietro... a venti minuti. Se la drogheria è aperta, un panino ce lo fanno. Questo contrattempo non ci voleva, abbiamo ancora molto da salire.»

«Torniamo indietro... ti giuro che di Goffredo diventato frate non me ne frega niente.»

«Siamo arrivati fin qua!»

«Per me è come se l'avessi incontrato.»

«E poi lui è in attesa...»

«A che ora?»

«Se non facciamo troppo tardi... tu mi aspetti da qualche parte e io lo vado a prendere e te lo porto.»

«Non posso venire con te?»

«Non vuole che tu venga al monastero. Ma vedrai, ci metto un attimo.»

«E se facciamo notte?»

«Rimandiamo tutto a domani mattina presto, dopo la messa.»

«E dove andiamo?»

«C'è un rifugio, sul costone a fianco del monastero... è piccolo, ma si dorme e, se hai ancora fame, si mangia benissimo... ottime minestre calde! I padroni sono due fratelli, li conosco bene...»

«Fa un po' freddo adesso...»

«Nel bagagliaio ci sono delle magliette di lana e delle felpe...»

Ho scelto un pullover giallo, simpatico, sul davanti erano stampate delle oche che fanno il girotondo.

Non pensavo ci volesse tanto tempo per cambiare una ruota. Ho tirato un sospiro quando mi ha invitato a risalire in macchina. In effetti, dopo una ventina di minuti ci siamo imbattuti in quattro bicocche scalcinate. Nell'aria c'era odore di legna bruciata.

Non era una drogheria ma un minuscolo bazar. Abbiamo preso due panini con il prosciutto, una birra per me e una bottiglia d'acqua per lui, e abbiamo continuato su per la salita.

La strada, tempestata di buche e ciuffi d'erba, diventava sempre più stretta. Davanti alla macchina era tutto nero, e Gregor ha acceso gli abbaglianti.

Il buio ha cominciato a smuovere le paure della notte prima. I fari accesi contro la fitta boscaglia e contro giganteschi massi creavano mostruose apparizioni da favola, che attraversavano rapidamente la strada, deformi e ridanciane. Un intreccio bizzarro di rami e foglie disegnava il ritratto di un fauno o di un demone; la sagoma di una roccia era il profilo di un uomo ingobbito con una bisaccia in mano; le pareti di alberi, che ci venivano addosso in curva, sembravano un esercito di orchi in marcia con le torce fumanti.

Gregor finalmente ha trovato un parcheggio nel piccolo piazzale dove la strada finisce. Ha spento il motore e con un sorriso nuovo, d'incoraggiamento, mi ha detto che eravamo arrivati. Prima di scendere ha preso la torcia elettrica e l'ha accesa.

«Il rifugio sta proprio qui sopra, a non più di trenta metri... bisogna prendere questo sentiero.»

Ha illuminato l'inizio di una mulattiera strettissima.

A ogni passo scivolavo, le pietre non erano salde, così precipitavano lungo il fianco della montagna, e le sentivo rotolare per un po'. Dunque stavamo costeggiando un dirupo immerso nel buio. La macchia di luce della torcia era puntata sui nostri piedi. Gregor stava dietro e mi sosteneva con le sue mani forti, per proteggermi, e mi indicava i punti dove posare i piedi. Ero così spaventata che non avevo fiato né per gridare né per piangere, e neanche per dire una parola. Obbedivo rassegnata, e incredula: per quali assurde alchimie mi trovavo di notte, in uno sperduto sentiero di montagna, con un uomo conosciuto da poco, per un ridicolo appuntamento con un vecchio amico diventato monaco e di cui ormai mi fregava molto poco?

Faticosamente sono riuscita a chiedere: «Non potevamo partire prima e arrivare di giorno?».

«La ruota bucata ci ha fatto perdere tempo... e anche la strada, non la ricordavo così malmessa. Stai buona, siamo quasi arrivati!»

Poi, non so come... siamo tutti e due ruzzolati a terra, e scivolati fuori dal sentiero. La china non era molto ripida, così abbiamo avuto il tempo di aggrapparci alle pietre che spuntavano dall'erba bagnata. Per lui è stato facile riguadagnare il sentiero, io invece, ormai sopraffatta dal terrore, non avevo più forza nelle braccia, stavo immobile e in silenzio.

Per un tempo che mi è sembrato interminabile, non ho sentito nulla, giusto qualche gracchiante fischio di uccelli notturni. Guardavo in su, e vedevo solo nero. Ho chiamato Gregor, ma con poca voce. Allora, in pieno panico, ho gridato con tutta la forza che mi era rimasta: «Tanto la pagherai cara... se mi ammazzi farai una brutta fine! Ho spedito al mio dottore una lettera con le tue fotografie. Se mi succede qualcosa, la apre e la consegna alla giustizia! Hai capito?».

Niente, ancora silenzio. Le braccia non ce la facevano più a sostenermi. Stavo per perdere i sensi, quando la luce della torcia mi ha abbagliato.

«Non ti muovere, afferra la mia mano!»

La luce si avvicinava, scendeva verso di me. Appena ho visto il suo braccio teso, mi sono aggrappata. Un momento dopo ero stretta a lui, piangendo dalla paura e dalla gioia. Mi baciava la fronte, per confortarmi. Singhiozzando ho cercato i suoi occhi.

«Come mai ci hai messo tanto, dov'eri?»

«S'era scaricata la torcia, ho dovuto correre in macchina a prenderne un'altra... Ti sei spaventata per poco, non è successo niente. Su, andiamo. Più avanti c'è una rampa di scale che porta all'ingresso del rifugio.»

Capitolo XII

Il rifugio, una costruzione bassa, di pietra, con la terrazza affacciata sul vuoto, era chiuso: porte sbarrate, luci spente, sedie e sdraio ammucchiate sotto una cadente tettoia. Gregor mostrava d'essere profondamente contrariato, era più che sicuro di trovare aperto. Inutile bussare o prendere a calci la porta: quella specie di baita, una via di mezzo tra una casamatta e un ovile, era sorda e muta.

«Aspetta qua!» mi ha ordinato lui sparendo oltre l'angolo. Qualche momento dopo ho sentito gli scatti del chiavistello. La porta si è aperta e mi è comparso davanti Gregor con la torcia in mano.

«Sono entrato dal retro, è bastata una spallata!»

«Ma non si può...»

«Sono miei amici, me la vedo io con loro. Dài, entra, cerchiamo il generatore, per la luce.»

Naturalmente non funzionava nulla. Il rifugio era chiuso da chi sa quanto tempo. Nell'aria un odore di rancido e di mosto. Abbiamo trovato alcune candele, ancora infilate nelle bugie di radica. La porta d'ingresso si affacciava sul bar, con un bancone e l'area destinata ai tavolini. Di fianco, una cucina con i frigoriferi spalancati; nella parete laterale un grande camino. Sul davanzale della finestra sbarrata riposava un vaso di gerani ricoperto con la plastica.

Dietro il bar, oltre una lurida tenda a righe, si apriva un camerone, e anche qui c'era un camino, ma più piccolo. Una larga pedana di legno era fissata al pavimento; sopra, una montagna di pagliericci, di cuscini e di trapunte: una dozzina di posti letto. Nello stanzone si poteva entrare anche da una porta che dava direttamente sull'esterno, quella che Gregor aveva forzato.

Benché fossi a pezzi, per niente rinfrancata dal tetto sopra la testa, ho implorato Gregor. «Risaliamo in macchina e torniamo a Nevada, adesso!»

Ci ha messo poco a convincermi di aspettare almeno l'alba. «Dormiamoci sopra» ha detto accendendo una candela. «Domani mattina, a mente fresca, prenderemo la decisione migliore.»

Ha afferrato due materassi, li ha adagiati uno accanto all'altro sulla pedana e sopra ha steso un largo piumone dal forte tanfo di pezza umida. Due cuscini senza federa hanno completato l'opera.

Dai rubinetti usciva acqua fredda e rugginosa. Sono riuscita comunque a sistemarmi per la notte. Mi sono tolta solamente scarpe e pantaloni, poi, tremando, mi sono ficcata sotto il piumone. Gregor si è sdraiato su di me modellando la coperta tutt'intorno al mio corpo. Non so se per fuggire irrazionalmente da là dentro o a causa della troppa stanchezza accumulata, a cominciare dall'insonnia della notte precedente, oppure perché scaldata da Gregor, che adesso non mi faceva più paura... sono subito piombata nel sonno.

Mi sono risvegliata alcune ore dopo, con il profumo della legna che bruciava nel caminetto. In giro per la camerata c'erano tre grandi candele accese. Ho cercato Gregor con lo sguardo, non c'era. L'ho chiamato a voce alta, non mi ha risposto. Allora è ricominciato il batticuore.

Scivolo via dal materasso, infilo le scarpe e vado ad affacciarmi nel locale del bar. Sul bancone balugina una candela giunta al mozzicone. Chiamo di nuovo, a tutta gola, Gregor. Mi avvicino alla porta d'ingresso, la apro un attimo per guardare fuori, sono investita da una ventata fredda e dal buio.

Col fiato grosso afferro d'istinto la paletta di ferro del camino e mi infilo sotto il piumino, ma con gli occhi spalancati. Penso che forse è andato all'appuntamento con Goffredo, e che di lì a poco tornerà insieme a lui.

Ho drizzato le orecchie per ascoltare i passi dei due amici in arrivo.

Non mi sono mai resa conto di quanto è frastornante il silenzio, se lo si ascolta. Ogni minimo brusio, seguito più in là dall'impercettibile morso di un roditore, forma un viavai, come se qualcuno si stesse muovendo da una parte all'altra, in punta di piedi. Il frusciare di foglie mosse da una ventata è un uomo che venendo avanti sfiora con la spalla un cespuglio. L'improvviso ammutolirsi d'un uccello segna il passaggio di un estraneo sotto gli alberi.

A un certo punto sento sbattere qualcosa contro la porta d'ingresso, lancio un urlo, poi, spaventata dal mio stesso grido, mordendo un lembo della coperta, rimango immobile, senza respirare, la mano avvinghiata alla mia arma improvvisata.

Finché vedo un'ombra che si affaccia dalla porta del bar, si muove con passo pesante verso la candela che sta nell'angolo. Il cuore mi batte così forte che mi manca l'aria

La buia figura barcollante prende la candela e la solleva. Riconosco Gregor e ritorno d'un colpo in vita. Lascio il piumino e la paletta sul materasso e, piangendo di gioia, mi precipito ad abbracciarlo.

Ma non è più lui.

Con la mano libera mi tira giù le mutandine. Resto per un momento immobile, poi, sgomenta, finisco io di sfilarle. Neanche provo a fermarlo, la luce nera degli occhi intimorisce. Mi prende per un braccio e mi trascina fino alla montagna dei materassi. Mi spinge là sopra e posa a terra la candela.

Le fiamme crepitano nel caminetto, agitando sinistre figure sul soffitto. Gregor mi chiede qualcosa che non capisco, allora mi afferra per i capelli e spinge la mia faccia sul suo grembo. Capisco cosa vuole, lo spoglio, trepidante.

Per dare appena un'idea della dissolutezza consumata nelle ore che hanno preceduto l'alba, ricorro ancora una volta alla mia musa ispiratrice, Angelica, allorché viene sedotta da un robusto cavaliere.

Paonazzo egli si accostò a lei, e Angelica ne ricevette subito, in pieno viso, il fiato avvinazzato.

Prima che potesse compiere un minimo gesto di difesa, quello l'aveva brutalmente afferrata e le premeva sulle labbra la bocca umida e gonfia di piacere. Ella si difese come poté, disgustata. Il desiderio di quel rozzo giovane la offendeva, come un insulto, e soprattutto la volgare arroganza e il disprezzo che le dimostrava. Non avrebbe trattato in maniera diversa una sguattera destinata a essere presa sull'erba, fra i cespugli.

La stringeva con tale brutalità ch'ella si sentiva soffocare e non riusciva a liberarsi per correre a chiedere aiuto. Ma si vergognava troppo per chiamare qualcuno. Prese a lottare con le unghie e con i denti, ma egli era pesante, tenace come l'erba cattiva, e accecato dall'alcol. Tenendola ferma con un ginocchio contro il pilastro della loggia, afferrò con una mano il corsetto di raso e tirò.

Sì, Gregor era ubriaco, aveva svuotato una mezza bottiglia di brandy, presa al bar, bicchiere dopo bicchiere, fino a sentirsi male, e aveva deciso di scappare, lasciandomi sola.

Strada facendo, però, ci aveva ripensato ed era tornato indietro.

A dire il vero la mia reazione è stata uguale a quella della contessa solo all'inizio, perché poi sono entrata in sintonia con il dirompente e famelico desiderio di Gregor, esaltato dai fumi alcolici.

Non c'è stato un solo centimetro del mio corpo da cui non abbia tratto godimento, mischiando tenerezza e aggressività. Ogni tanto, quando non capivo cosa voleva, oppure se mi dimostravo subito accondiscendente e generosa, mi puniva accusandomi di essere una donna di strada. E per dimostrarmelo mi costringeva a subire le sue bizzarre fantasie. Si è allungato a pancia in su e mi ha fatto sedere sul suo piede. Ha voluto penetrarmi, mentre, il dorso sollevato, mi teneva le mani.

Gemevo più per la lussuria che per il dolore. Poi ha voluto che mi girassi e a quel punto ho cominciato a boccheggiare e ad accusarlo di essere una bestia, un porco.

So che descrivere l'amore è difficile e delicato, perché le parole non possono trasmettere l'emozione che si prova. Nell'incontro d'amore c'è il momento del profumo e quello dell'odore, il momento del delicato bacio sulle labbra e il caldo accarezzarsi delle intimità, ora quieto, ora furibondo. Ci sono gonne e pantaloni, cinte e reggiseni, sudore e morsi.

Aggirerei volentieri l'ostacolo dicendo semplicemente: quella notte ci siamo amati fino allo sfinimento. Non posso farlo, perché la mia storia non ha alcun senso se non riesco a evocare la forza, anche torbida, macabra, che mi ha ferocemente legato a Gregor, e che mi ha fatto accettare di lui ciò che nessun'altra donna avrebbe mai sopportato.

* * *

Dunque.

Schiariva l'aria quando Gregor, abbandonato al proprio peso, si è addormentato in mezzo al mucchio dei materassi. L'ho protetto dal freddo coprendolo con una trapunta che ho riscaldato vicino al camino, e mi sono sdraiata accanto a lui. Non dormivo, gli baciavo le tempie, i capelli, la spalla. Era custode delle mie paure, e mio amante; non potevo più fare a meno di lui. Stavo bene, ero me stessa, tornavano il vigore e l'intelligenza.

Si è svegliato oltre mezzogiorno con un mal di testa che lo martellava ogni volta che sbatteva le palpebre. L'umore era pessimo, sarebbe stato meglio che si fosse mangiato le mani piuttosto che toccare la bottiglia. E quando, con grande fatica, mi ha detto: «E ora ti porto da Goffredo» l'ho pregato dal profondo del cuore di non pensarci più.

«È questa la vita che mi interessa... l'altra è disabitata, vuota, per me non c'è più, non c'è mai stata. Goffredo non è mai esistito!»

«E invece ti sbagli, del suo fantasma non riuscirai mai a liberarti. Ritorna puntualmente per spaventarci e fare del male a tutti e due. Ti porto da lui, così non ci pensiamo più.»

Ho giurato e rigiurato di non pronunciare mai più quel nome, tutto inutile. Dopo esserci lavati e vestiti, in silenzio siamo saliti in macchina.

Il viaggio non finiva mai. Abbiamo mangiato qualcosa in un Autogrill, e siamo ripartiti. Gregor non aveva voglia di aprire bocca. Alle domande rispondeva con pochissime, sbrigative parole. Ogni tanto, cullata dal rullio dell'automobile, rubavo sonnellini.

Non ho avuto il coraggio di chiedergli perché andavamo così lontano se il monastero era vicino al rifugio. La macchina filava in pianura, le montagne le lasciavamo alle spalle.

Uscivamo dall'autostrada, prendevamo un pezzo di statale, poi un'altra autostrada, per ore e ore.

S'era fatta sera, poi un'altra volta notte. A Gregor si chiudevano gli occhi, allora s'è fermato al primo motel, una sfilza di porte accostate l'una all'altra come le stalle dei cavalli da corsa. La luce acrilica di una scritta luminosa rendeva spettrali le nostre facce.

Finalmente una doccia vera. Siamo andati a letto con le ossa rotte dal lungo viaggio. Gregor ha lasciato accesa la luce del comodino e mi ha chiesto di fargli un massaggio rilassante. L'idea non mi dispiaceva, ho tirato fuori dalla borsa una crema e, mettendomi a cavalcioni sulla sua schiena, ho cominciato a trattarlo partendo dal collo.

Lui si è addormentato in un secondo, mentre io facevo scivolare le dita sulle scapole, lungo la spina dorsale. Arrivata ai piedi, mi sono accorta che a quello sinistro mancava il dito più piccolo, al suo posto c'era una leggera cicatrice. Volevo continuare il massaggio chiedendogli di girarsi, ma era immerso nel sonno più profondo. Ho spento la luce e mi sono attaccata a lui, con le labbra sui muscoli lisci e riposati, profumati di crema per il viso.

Il riposo è durato poco, Gregor era troppo nervoso per riuscire a fare un lungo sonno. Ha cominciato ad agitarsi, a essere scosso da piccoli scatti nervosi. Si girava e rigirava, e io gli accarezzavo i capelli e la fronte per calmarlo. D'improvviso si è alzato, s'è infilato i calzoni ed è uscito dalla camera.

«Dove vai?» gli ho chiesto allarmata.

«Faccio in un attimo!»

È ritornato dopo qualche minuto con due lattine di birra in mano, prese alla macchinetta automatica.

«No, ti prego!»

«È solo birra... sette gradi. Stai tranquilla!»

A torso nudo, scalzo, spettinato, i jeans neri mezzi sbottonati, buttato su una poltroncina blu, guardando il vuoto con quei suoi occhi neri ma pieni di luce, Gregor, strangolato da una stanchezza che lo faceva quasi lacrimare, si preparava a vuotare il sacco fino in fondo.

«Non so se alla tua bella marchesa, o contessa.. uno dei suoi uomini ha mai detto che, dopo averla incontrata, tutta la sua vita passata s'è ridotta a una briciola.»

«Le hanno detto qualsiasi cosa!»

«Angelica... io sono come uno di loro, che però pretende di essere creduto. E questo non accadrà mai se continuo a nascondermi, a ingannarti, e a ingannarmi. Ci sono cose che devi sapere prima che ti porti da Goffredo. Spero che capirai e apprezzerai, il mio coraggio... è una prova assoluta d'amore... mi strappo la camicia sul petto, e ti porgo il coltello. Ciò che sto per dirti potrebbe rendermi tuo schiavo!»

Il tono della sua voce, le parole accorate mi esaltavano e mi spaventavano insieme.

«No, Gregor... non parlare, non voglio sapere niente. Come te lo devo dire che Goffredo per me non esiste più?» Mi sono seduta a terra, davanti a lui, le braccia intorno alle gambe, la testa china sul suo grembo. «Oh, Gregor... se c'è una persona che è una spina nel cuore... è Rachele... solo lei mi dà angoscia... Di quell'altro, monaco sincero o fasullo, non me ne frega niente!»

Beveva e mi accarezzava la guancia.

«Ti assicuro che Rachele è l'ultimo problema... con lei si risolve tutto in un momento. Ma ora ti devo parlare: non riesco più a tenere il conto delle verità e delle bugie che ti ho detto in questi giorni.»

«Va bene... come vuoi. Prima però giurami che non cambierà niente tra noi!»

«Prego Iddio!»

Allora mi sono alzata per accomodarmi sul letto. Ho sistemato il cuscino dietro la schiena.

«Subito una cosa... quando ho conosciuto Goffredo non mi piaceva per niente. Lo vedevo come un signorino viziato, schizzinoso... con la puzza sotto il naso. Però mi serviva...»

«Ti serviva? Come?»

«All'epoca ero molto diverso da adesso... anch'io ho avuto la mia malattia, come te. Tu non ce la facevi più e sei scoppiata... io ho preferito acchiappare tutto quello che potevo, senza il minimo scrupolo... proprio come uno che è morto e provvisoriamente resuscita. Non mi fregava niente di nessuno: un sasso o un uomo erano la stessa cosa. Questo modo cinico di vedere le cose, senza la minima illusione, era la filosofia di mio padre, di mia madre e di tutti quelli che ho conosciuto dalla nascita, e che mi hanno voluto bene. La gente migliore la riconoscevo, sapevo giudicare... non ero mica stupido... le cosiddette persone perbene le vedevo benissimo, e mi piacevano anche... solo che non mi volevano bene.

Mia madre... lo so che è banale dirlo... era speciale. Sapeva che crescevo nell'orrore... ha cercato di darmi una mano. Metteva gli spicci sotto il materasso, per paura che mio padre si prendesse anche quelli... e di nascosto pagava un suo cliente, un vecchio professore di latino e greco che si chiamava con un nome strano, Lutzen, il professor Guglielmo Lutzen... forse era di

179

origine tedesca... perché mi insegnasse a parlare bene, a scrivere, e a essere curioso anche di ciò che non mi serviva. Questo Lutzen non aveva niente di buono, però mi amava, mi ha preso a cuore. È morto qualche anno fa, ma l'ho saputo da poco. Se non era per lui, non avrei mai conosciuto Goffredo... e oggi non starei qui a parlare con te. Goffredo mi ha aperto la sua casa, non solo perché gli piacevo... ma perché quando parlavo mi capiva. Nel mondo in cui sono cresciuto si sta quasi sempre zitti. Se uno apre troppo la bocca, viene preso per ciarlatano, per mezzo matto.

Se oggi faccio una vita onesta, se posseggo una piccola impresa che funziona... lo devo a mia madre. A mio padre no davvero! Quando mi sono sistemato ho pensato di andare da lui a sputargli in faccia... ma certi strozzini lo avevano ammazzato. Solo in quel momento ho scoperto che era un poveraccio, che del mio odio non poteva neanche accorgersi.

Angelica... non potrai mai e poi mai avere la più vaga idea di una persona che nasce, vive e muore senza accorgersi di nulla. Tu non sai cos'è l'ottusità del balordo, del tagliagole. Ecco, quando ho conosciuto Goffredo ero uno di quelli. Quel poco sapere che mi aveva trasmesso Guglielmo Lutzen lo cancellavano rum e vodka ghiacciata. L'incontro con Goffredo mi è servito a controllare un po' il vizio del bere. Non potevo certamente conquistare un ragazzo a modo come lui, vomitandogli in casa!»

Lo seguivo senza perdere una parola. Faticavo a inquadrarlo nel mondo che andava svelando, con strozzini, e gentaglia varia. Per quanto mi riguardava, avevo davanti un uomo che mi somigliava, che riconoscevo nei pensieri e nei gesti, un uomo che aveva senz'altro sofferto un'adolescenza durissima e attraversato chissà quanti inferni, ma ce l'aveva fatta, e come.

Ha incontrato Goffredo, che probabilmente ha perso la testa per lui. Per come lo conoscevo, mai avrebbe potuto sopportare un bravaccio, un ottuso violento e zoticone. Ha sicuramente colto in Gregor un cuore nobile, nascosto sotto una brutalità impacciata, infantile.

«Tu ti trascini dietro i fantasmi» gli dico. «Stai parlando di un'epoca lontana... Se oggi incontrassi te stesso ragazzo, non troveresti in lui nulla di quello che sei. Anch'io, se mi vedessi bambina, direi: questa da grande farà la monaca! Goffredo ha visto bene nel tuo cuore di fragile ubriacone. Infatti eccoti qua... hai una famiglia, un lavoro onesto... e un'anima viva, sempre pronta a innamorarsi.

Mi hai detto che Goffredo non ti piaceva... Ti capisco, anch'io l'avrei preso volentieri a schiaffi. È... presuntuoso, sordo alle domande degli altri... isterico. Lui sì che mi ha lungamente ingannato sapendo di farlo, in malafede... chi sa quante volte mi ha usato come specchietto per le allodole per fare nuove amicizie.

Difficile immaginare il senso d'angoscia che ti prende quando scopri che la persona che ti sta accanto non è quella che tu conosci! Eppure ero innamorata... e forse lo sono stata fino al giorno in cui ti ho incontrato. Ingannavo me stessa.»

«Tu ti trovavi in ospedale quando l'ho conosciuto. Ti ho detto la verità su come stava male per quello che ti era successo... ogni giorno veniva a trovarti e si fermava a far compagnia a tua madre. Di tanto in tanto lo accompagnavo e lo aspettavo in macchina.»

«Come mai sei andato ad abitare da lui?»

«Te l'ho detto, stavo passando un brutto momento, il più schifoso della mia vita. Non sapevo dove sbattere la testa. Non avevo un tetto, passavo da una camera a ore all'altra. Treni, pullman e città tutte uguali, era il mio andare senza meta, o meglio, la mia fuga. Uno come me non attraversa mai il centro stori-co, l'istinto lo porta dove c'è sporcizia. Goffredo è stata un'eccezione. In quel momento avevo bisogno di uno come lui. Le tasche erano piene di soldi, e le idee confuse... e poi l'alcol...

Però ti sbagli se pensi che ero un ubriacone: beve-vo ma sapevo fermarmi prima di finire a terra. Non mi sarei accorto di Goffredo se una notte, in un locale frequentato da gay, a un certo momento un ragazzo non mi avesse urtato una spalla per poi chiedere scu-sa. E per farsi perdonare mi offre un bicchiere. Io non lo accetto... non per fare lo scemo, ma perché ho capi-to che quel ragazzo faceva al caso mio, e dovevo es-sere ben lucido per incastrarlo. L'ho studiato fino a quando non se n'è andato. Era un tipo che si muove-va goffamente là dentro, e molti clienti abituali gli ronzavano intorno come mosche... proprio perché non lo conoscevano e non sembrava uno di loro. Quelli hanno fiuto... si accorgono lontano un chilo-metro quando nella tela ci finisce l'incerto, il neofita, il cacciatore di forti emozioni.

L'ho visto uscire, gli sono andato dietro, ho sco-perto dove abitava: un villino monofamiliare appe-na fuori mano. Dovevo soltanto capire se viveva da solo...»

L'ho interrotto con decisione. «Non mi hai detto perché Goffredo faceva al caso tuo... in che senso, co-sa volevi, a cosa ti serviva?»

«Avevo bisogno di un buon nascondiglio, lontano dal mio giro. Nient'altro. Volevo ciò che poi ho avuto: un amico che mi ospita a casa sua, che mi offre un tetto e un letto. C'era gente che mi cercava e io non volevo farmi trovare... quindi niente alberghi, niente ambienti strani... nella normalità ci si eclissa. E sono i tipi come Goffredo, con il disagio addosso, a rendere normali gli ambienti. Due amici che abitano assieme, si notano.

Due amici che abitano assieme e uno dei due, a detta dei vicini, è gay, non scandalizzano nessuno.»

«Caspita! Conosci bene l'arte di nascondersi.»

«È la prima cosa che mia madre mi ha fatto bere quando ho cominciato a rifiutare il ciuccio.»

«Mi puoi dire per quale ragione dovevi nasconderti e da chi?»

«È un po' lungo e sgradevole da raccontare. Lo farò un'altra volta. Ciò che mi preme che tu sappia, ora, in questo momento, riguarda me e il tuo ex fidanzato. La ricostruzione che abbiamo fatto assieme è giusta... sì, quel Gregor, il pittore, ero io... ma i fatti sono gli stessi. Gregor Berne! Una brutta faccenda di sopraffazioni, di torture psicologiche, di competizione, di occulte paure. Tra noi due era scattato un meccanismo che non potevamo fermare.»

«Gregor Berne!»

«Non mi sembra vero... dirti chi sono, nome e cognome. Vorrei uscire nella notte e gridare al vento che mi chiamo Gregor Berne!»

«Perché non lo fai? Fallo! Fallo per me!» Sono subito scattata verso la porta, l'ho spalancata. «Vai!... La notte dorme, svegliala... dille chi sei!»

Lui è rimasto bloccato, sorpreso dal mio colpo di testa.

«Che aspetti... corri fuori... c'è la luna, ti vuole sentire anche lei!»

Si è attaccato alla lattina, poi è uscito all'aperto, scalzo e a torso nudo. Ha corso e, come un lupo mannaro, ha gridato prima alla luna e poi alle macchine che sfrecciavano: «Io sono Gregor Berne... Esisto... Gregor Berne! Sono vivo... vivo!».

Capitolo XIII

C'era profumo di caffè. Il sole, fiacco, spuntava dietro un TIR giallo della Gondrand, parcheggiato nella stazione di servizio, quando siamo saliti in macchina per l'ultimo tratto. Mi aveva garantito che saremmo arrivati in meno di un'ora. L'emozione non potevo mascherarla, benché fossi sincera quando per l'ennesima volta avevo giurato a Gregor di non sentire alcunché per il mio fidanzatino di scuola.

Aveva una faccia inespressiva, indurita dai denti serrati. Era pallido. Ho capito che non dovevo parlare e soprattutto dovevo smetterla con le domande. Tanto di lì a poco Goffredo stesso avrebbe raccontato quel che mi restava da capire, e cioè per quale ragione aveva ceduto il suo nome. Su questo punto Gregor si era sempre guardato dal dare spiegazioni. «Lo saprai quando sarai davanti a Goffredo.»

Abbiamo lasciato la strada grande per una stretta, che a curve dolci s'inoltrava nella campagna. D'improvviso, finito l'asfalto, abbiamo continuato su un fondo di terra bianca, e dietro di noi si apriva una nuvola, come lo strascico di una sposa.

Poi sono tornati di nuovo l'asfalto e le case ai due lati della strada, che si trasformarono presto in palazzi. Ecco i semafori, il traffico, i vigili, le banche... Gregor ha attraversato tutta la città, ma prima di lasciarsela alle spalle ha imboccato un viale sconnesso, lungo e alberato. È andato dritto per un bel pezzo, e finalmente si è fermato nel parcheggio davanti a un grande chiosco di fiori.

«Siamo arrivati.»

* * *

Era un cimitero. Lì per lì non capivo. Mi ha preso per mano e abbiamo varcato il grande cancello di ferro in stile liberty, con teschi e ossa incrociate. Passando tra le tombe cominciavo a rendermi conto che stavamo andando verso qualcosa di terrificante.

Siamo arrivati nella zona dei fornetti, costruzioni appaiate di una ventina di metri d'altezza, dove le bare erano murate dentro una grande parete di marmo. Gregor a un certo momento si è fermato e mi ha indicato una lapide davanti a noi, sussurrandomi all'orecchio: «Là dentro c'è Goffredo».

Ero inebetita, il sistema nervoso cloroformizzato: se mi avessero tagliato una mano non me ne sarei accorta. Abbasso gli occhi, e nel loculo che lui mi indica sono scritti solo il nome e il cognome del defunto: Gregor Berne.

Le date di nascita e di morte non ci sono. Sotto la scritta è incollato l'ovale con la foto di Gregor, i capelli a spazzola, le pupille scavate nelle occhiaie livide.

«Non capisco!» sussurro, senza voce e con la testa nel nulla.

«Andiamo...» fa lui, tirandomi via da lì per il braccio.

Risaliamo nella Renault. Fa marcia indietro per uscire dal parcheggio, ma si ferma dopo pochi metri. Vorrebbe dire qualcosa, ma non gli esce la voce. Comincia a tossire, soffoca, penso a un attacco di cuore. Deve scendere e correre a respirare, e a vomitare nella cunetta che costeggia il viale.

Lo guardo dal finestrino chiuso, e intanto tutte le mie cellule prendono atto della scomparsa definitiva di Goffredo. La sua immagine passa dalla vita alla morte. Non c'è più, finito! È andato a fare compagnia al padre, a mio zio suicida, ai nonni.

Scendo, mi precipito a comprare un mazzetto di roselline bianche e corro a posarle sulla lastra davanti alla lapide. Prendo il rossetto dalla borsa, barro con una X il nome di Gregor e scrivo accanto, in stampatello: GOFFREDO COLIN.

Arriva Gregor che, dopo avermi abbracciato con impeto, mi porta via. Gli chiedo con risolutezza di lasciarmi sedere sui sedili posteriori, accanto a lui non voglio stare. Mi sdraio dietro e comincio a piangere.

Un altro viaggio interminabile. I singhiozzi soffocano il dolore. E quando le lacrime mi danno un po' di tregua, immagino di salutare un aereo che sparisce fra le nuvole.

Per tornare a Nevada non si può tirare dritto. Facciamo tappa in un albergo, grande e per gente di passaggio. Mi siedo sulla prima poltrona che capita, mentre Gregor consegna i nostri documenti all'ingresso.

Guardo il viavai dei clienti: uomini soli, tristi e con la schiena a pezzi, che aspettano l'apertura del ristorante. Mi chiedo quanti di loro vivono inutilmente.

Non abbiamo fame, saliamo in camera. Di nuovo mi abbandono sopra una poltrona. Non vola una parola. Gregor va a riempire la vasca, poi mi toglie le scarpe, mi spoglia e mi accompagna al bagno. Sono un automa, una bambola di pezza con le braccia ciondoloni. Mi aiuta a fare pipì e a lavarmi.

Immersa nell'acqua calda, e con i tocchi delle spugnature, riesco a dormire per alcuni minuti: quel tanto che mi serve per ricaricare un poco le batterie.

Mi mette a letto, con il bacio della buonanotte, lui invece rimane vestito, spegne le luci, lasciando accesa solo quella del bagno, per schiarire appena la camera. Dal frigobar, questa volta, invece di tirar fuori la birra, prende una bottiglietta di whisky. Si butta in poltrona. Percepisco il suo respiro affaticato. Mi giro dall'altra parte a fissare la carta da parati. Non c'è bisogno di domande, comincia a parlarmi con voce lenta e piena di dolore.

«È stato un incidente! Non volevo... all'ultimo non volevo! Sì, è vero, per tutto il tempo che sono stato suo amico... per modo di dire... per tutto quel tempo mi sono lasciato prendere da una perversione... per tutto il tempo ho dato da mangiare a un delirio. Una sorta di scommessa con me stesso...»

Guardando il muro, lo interrompo. «Non ho capito niente.»

«Allora parto dall'inizio, anche se molte cose le sai già! Oggi hai visto la tomba di Gregor Berne, ti racconto chi era Gregor Berne. Ero uno sbandato, sì, bevevo molto, ma di nascosto. Dove vivevo prima, se bevi, fai la fame, nessuno si fida di un alcolizzato, che per un bicchiere ammazzerebbe la madre. Capisci? La mia vita è trascorsa passando da un cattivo incontro all'altro. L'ultimo mi ha creato un sacco di guai... ti dico solo che mi sono lasciato coinvolgere in un affare forse troppo grosso per me... Pensa a un brutto film con rapine fallite, colpi andati storti, dove ci scappa pure il morto... ecco, vedimi per un attimo dentro quel brutto film. Quando fai una cazzata grossa come quella... poi sei costretto a farne tante altre. Nella disfatta generale, però, ho avuto un pizzico di fortuna: sono riuscito a dileguarmi, a sparire dalla circolazione. Così hanno cominciato a cercarmi... la polizia e i miei ex compagni di sventura... che volevano farmi pagare l'errore che avevo commesso, che aveva mandato in fumo un sacco di soldi. Mi avrebbero prima torturato e poi ammazzato.

Per mesi e mesi sono stato un cane randagio, senza fissa dimora... non dormivo nei luoghi dove si lascia il documento, e mai per più di una notte. Soprattutto era necessario che non bazzicassi in posti dove qualcuno poteva riconoscermi. Non è facile per gente come me mischiarsi senza farsi notare in mondi lontani chilometri da te. La mia fortuna si chiama Guglielmo Lutzen, m'ha levato molte croste che avevo addosso dalla nascita... Se sono ancora vivo è perché potevo andare dove volevo senza far girare la gente: il merito è tutto suo e, ovviamente, di mia madre, che aveva visto lungo. Sono stati mesi di disperazione, e di terrore: non è mai successo, per quanto ne so, che qualche ricercato, non tanto dalla polizia quanto dagli ex amici, l'abbia fatta franca. Al primo sbaglio, anche piccolo, avrei fatto la fine che mi spettava.»

A questo punto mi giro verso di lui, e accendo la luce del comodino. Voglio fargli vedere che lo sto ascoltando, e che seguo il suo racconto con sincera e affettuosa partecipazione. E per dargliene prova, faccio la domanda che mi sta più a cuore.

«E Goffredo cosa c'entra con tutto questo?»

Gregor scuote il capo sorridendo.

«Non ho conosciuto persona più candida di te, Angelica. Hai un naturale istinto a non vedere il male. Come già sai, un bel giorno mi imbatto in Goffredo, la persona giusta per me: sta per conto suo, una specie di orfano, senza genitori, e con pochi amici che arrivano dal nulla e spariscono nel nulla. La sua ragazza è imprigionata in un ospedale. Sembra uno di oggi e invece è di ieri, con la paura del sesso. Vive con poca tranquillità la sua attrazione per gli uomini. Sia io che lui avevamo qualcosa da nascondere, si poteva andare d'accordo. Dopo averlo incontrato in quel locale, e averlo ben studiato, ho fatto in modo che mi abbordasse. Mi ha portato a casa sua... avevo capito il tipo e ho lasciato che ci provasse, tanto si sarebbe incartato da solo... infatti è stata una cosa goffa... tutta da ridere... e per fortuna dopo ne abbiamo riso. E così lui ha avuto l'impressione che fosse nata un'amicizia.

Invece a me lui non piaceva... intendo come persona, insomma non mi era simpatico... Non mi era simpatico perché volevo che non mi fosse simpatico... non dovevo affezionarmi, soprattutto perché mi preparavo a fargli un cattivo scherzo! Solo dopo, tempo dopo... proprio quando con lui stavo per chiudere la partita... ho capito che in fondo gli volevo bene.»

Eccola, finalmente allo scoperto, la sua anima cospiratrice, di tessitore d'inganni. Ma aspetta a condannarlo... è una colpa nascere dove sopravvivere è un'arte?

«Dici che gli volevi bene senza saperlo. Ti sei reso conto di volergli bene un momento prima che succedesse quello che è successo, come mai?»

«Per farti capire ti racconto passo passo com'è potuta accadere la tragedia. Andiamo a quei primi giorni del nostro incontro. Visto che non avevo fissa dimora e che gli piacevo, m'ha fatto restare a casa sua... tutto il tempo che volevo. Gli ho chiesto una stanza da solo, per conto mio... e lui mi ha accompagnato in una camera con un letto singolo e un bagno con la doccia. Non poteva andarmi meglio.»

«Era la mia camera quando restavo da lui.»

«Lo so, me l'ha detto il giorno che mi ha parlato a lungo di te. Si è seduto sul letto con gli occhi pieni di lacrime. Ti confesso che lì per lì non gli ho creduto, pensavo che volesse farsi consolare.»

«All'inizio lo odiavi proprio!»

«Sì, è vero. E lui ogni tanto se ne accorgeva, e faceva di tutto per piacermi... ha usato gentilezza, generosità, fratellanza... ma anche gelosia, provocazioni, piccoli ricatti, insulti... Così il rapporto ha preso una strada da cui lui non voleva uscire... e tra noi si scatenavano guerre... te ne ho già parlato. E dopo ogni guerra... siccome le perdeva tutte, perché lui ci credeva e invece a me non fregava niente... arrivava puntuale l'ora del pianto, delle scuse, del perdono. Solo in quei momenti, quando si asciugava le lacrime con il fazzoletto, si vedeva che aveva qualche problema di identità sessuale... sembrava una bambina sperduta e disperata.

Io lo sopportavo sempre di meno... era capriccioso, dispettoso, teneva il muso per giorni... Forse è stata la mia presenza in casa sua a trasformarlo in quel modo. A volte non riuscivo a farcela, volevo dargliele di santa ragione, ma avevo paura che una brutta mattina prendesse e mi cacciasse di casa. Dovevo stare zitto, e basta. Un giorno però, esausto, avevo anche un po' bevuto... ho freddamente deciso di fargli male... Stavamo in garage ad aggiustare la Ford... io avevo in mano un pezzo pesante del motore, lui era sdraiato sotto la macchina, i piedi fuori. Ho allargato le braccia e il motore gli ha spezzato una caviglia e malridotto mezzo piede sinistro. Urlava come un maiale sgozzato!»

«Che orrore, ma eri impazzito!»

«Eravamo impazziti tutti e due! Quando si parla di inferni tra le quattro mura domestiche, si parla di inferni veri... Quando non c'è amore si perde ogni cognizione e dimensione del reale, il male si confonde col bene. Lui gridava dal dolore e io mi scusavo sinceramente, gli dicevo che il pezzo di motore m'era scivolato dalle mani perché era coperto di grasso...

Perdonami, perdonami! E lui: figlio di puttana, l'hai fatto apposta! L'ho portato all'ospedale con il taxi, lo hanno ingessato e ricoverato per qualche giorno.

Quando sono andato a prenderlo per riportarlo a casa, era così felice! Nel vedermi che lo aiutavo a vestirsi, a infilare il pigiama sporco nella busta di plastica, si è commosso fino alle lacrime. Ricordo che mi ha preso una mano e me l'ha stretta forte, strangolato dalla felicità. Poi, tornati a casa, pretendeva che lo accudissi costantemente, come un'infermiera, sia di giorno che di notte... voleva farmela pagare. Involontariamente lo incoraggiavo a convincersi che ero io a non poter fare a meno di lui. Mi trattava male, spesso umiliandomi, anche per mettere alla prova la mia dipendenza... dipendenza che Goffredo scambiava per amore. Perché non me ne andavo? Cosa mi spingeva a sopportare le sue bizze? Lui pensava che fosse amore, non sapeva che lo usavo, che stavo in casa sua solo per nascondermi.»

* * *

Adesso sì, Goffredo lo riconoscevo, assetato di un affetto che non era in grado di ricambiare. Lo riconoscevo in quella mano stretta forte, negli attacchi isterici, e nella facilità con cui si metteva a piangere. Era lui. Io l'amavo, l'accettavo così, e lui lo sapeva. Gregor invece non sopportava i suoi modi ipocriti e infantili, lo esasperavano, fino al disprezzo. Ma un dubbio restava.

«Hai detto che dopo un po' di tempo, mesi dopo il vostro incontro... hai scoperto che in fondo gli volevi bene, probabilmente perché è difficile odiare chi ti ama. Se questo è vero... capisco meglio la distanza che volevi mettere tra te e lui... non era solo per il fatto che non volevi fare amicizia con qualcuno che stavi ingannando... No, penso invece che scappavi da te stesso, non volevi impegnarti in un sentimento d'amicizia che qualche volta ti costringe anche a dare.»

«Perché no? Forse hai ragione. O profonda amicizia, o profondo odio, non avevo scelta. Goffredo poteva essermi utile sia da vivo che da morto. Da vivo, se fosse nata una reale amicizia, e intimità... da morto se prendevo il suo posto e mi godevo ciò che lui non riusciva a godersi.»

«In che senso?»

«Il suo modo di fare e di essere mi sembravano un lusso, quasi uno spreco. Aveva avuto la fortuna di nascere lontano da casa mia... piagnucolava sempre e sbatteva la fronte contro i muri.

Goffredo conservava la patente in auto, accanto al libretto di circolazione. In quel periodo la macchina la guidavo io perché lui era zoppo. Lo accompagnavo all'ospedale a trovare te... Sono sceso di nascosto in garage, ho sfilato la patente dagli altri documenti e me la sono messa in tasca. Tanto lui non aveva modo di accorgersi che gli era sparita...»

«Che ci volevi fare?»

«Ascolta, seguimi bene nel delirio... Con la patente di Goffredo in tasca, lascio casa e me ne vado... senza preavviso. Prendo un treno, dove dormo con la giacca in faccia, e scendo in una città di merda, a un paio d'ore da qui. Siccome fin da piccolo me ne intendo di puttane, ne adocchio una, il tipo che fa per me. Mi avvicino e riesco a convincerla a ospitarmi per qualche notte, pagando ovviamente. Quando mi chiede come mi chiamo, le dico Goffredo, mi chiamo Goffredo Colin.»

«La prima persona a chiamarti con il nome di Goffredo è stata una puttana...»

«Era simpatica e furba come una volpe. Passo alcuni giorni belli con lei, che mi ricordano l'infanzia. Poi le chiedo di indicarmi tra i suoi clienti qualche poliziotto o un funzionario della questura, o un politico. C'era l'imbarazzo della scelta... e quando lei mi ha chiesto a cosa mi serviva, le ho detto che avevo bisogno di una patente nuova, ma in regola, vera. Ha sorriso, e non ha fatto altre domande. Mi ha presentato un giovane che lavorava in prefettura, un ragazzo candido e onesto, tutto puttane e lavoro, innamorato pazzo di lei. Ho chiesto che tipo era, mi ha detto che era orfano fin da piccolo. Soffriva di eiaculazione precoce, e ogni volta pensava di fare l'amore con la mamma, ma lui diceva che si sbrigava per non disturbarla. A me andava benissimo.

Ci faccio amicizia, una volta lo porto a cena... siamo perfino andati al cinema. Mi chiamava vezzosamente Goffry! Sulla fiamma del gas ho dato fuoco alla patente di Goffredo... o meglio, ho incendiato la foto lasciando ben leggibile il resto del documento... Ho riempito una bottiglia di birra con la benzina. La sera stessa il giovanotto è venuto a prendermi con la sua macchina, ma prima ha voluto fare una passeggiatina sulla mia padrona di casa... Ti aspetto in macchina, gli ho detto. Alzo il cofano, cospargo di benzina il motore, mi tolgo la giacca e mi siedo dentro.

Arriva, mette in moto. Destinazione? Cena in un posto che conosce lui. Fa pochi metri e da sotto i nostri piedi entra fumo. Un attimo e viene su dal motore una bella fiammata. Faccio finta di essere incastrato, intanto la giacca prende fuoco. Lui esce di corsa e viene ad aprirmi dall'esterno. Salto fuori tossendo e con la giacca fumante in mano. Per fortuna da un'altra macchina parcheggiata lì vicino è uscito un signore con l'estintore in mano. Il mio povero amico si sentiva mortificato, mi chiedeva scusa... ma non era colpa sua. Io guardavo i danni della giacca, ma lo consolavo. Sono cose che succedono, gli dico... non ti preoccupare. A cena ci andiamo un'altra volta, adesso pensa a portare via l'automobile.

Quando lo rivedo, il giorno dopo, gli consegno la patente semibruciata e gli dico se può fare qualcosa... Domani riavrai la patente nuova nuova... ci penso io! Ho soltanto bisogno di tre foto, ce l'hai? No davvero, gli ho risposto. Mi accompagna lui a fare le foto. Sei. Ne mette tre in tasca, accanto alla patente bruciacchiata, le altre le dà a me. Non mi sembrava vero... pensavo facesse qualche difficoltà. Allora ho alzato il tiro... gli ho ridato anche le altre foto e gli ho chiesto se poteva farmi avere al più presto anche la carta d'identità. Non era per niente seccato. Anzi, l'idea di mostrarmi che aveva un certo potere negli uffici pubblici lo rendeva fiero: saltiamo tutti i passaggi della burocrazia, garantisco io per te. Domani pomeriggio avrai tutto! E così è stato. Il giorno dopo sono diventato ufficialmente Goffredo Colin. Adesso si trattava di far scomparire quell'altro.»

«E tu dici che era tutto un delirio? I deliri sono fantasticherie... tu in mano avevi documenti veri, rilasciati dalle autorità!»

«Era un delirio! Inseguivo un mio progetto, tentavo di trovare una soluzione definitiva alla mia vita. Dovevo spegnere la luce del passato e accenderne una sul mio futuro. In quei giorni avevo quella testa là! Volevo un'altra vita a tutti i costi.»

«Passando sul cadavere di Goffredo!»

«O io o lui! Questa era la mia ossessione. Per quanto tempo potevo andare avanti in quel modo? Prima o dopo mi avrebbero acchiappato, o la giustizia o i miei vecchi amici. Ho cominciato a sognare una soluzione, a progettarla... all'inizio, appunto, come un esercizio della mente... ma poi, visto che si faceva sempre più possibile e realizzabile... mi sono spaventato.»

* *
*

L'ultima parte del racconto mi inabissa nell'angoscia. Gregor prende un'altra bottiglietta dal frigo e la svuota d'un fiato. Poi si avvicina a me, afferra le mie mani e, per un tempo interminabile, scioglie i suoi occhi nei miei.

«Te l'avevo detto che come prova d'amore ti avrei consegnato la mia vita. Se vuoi, puoi distruggermi... Ma ora per me è importante, importantissimo, che tu non mi veda come un mostro... è così che mi hai visto l'altra volta... hai detto che sono un mostro. Devi provare a capirmi... a capirmi non adesso, ma nella situazione in cui mi trovavo in quei giorni. Angelica... ero un morto vivente, odiavo tutto e tutti. Non avevo niente, né una patria né un tetto, né una donna... dovevo solo scappare in attesa di essere ammazzato.

Avevo nei confronti di Goffredo sentimenti diversi dai tuoi, addirittura opposti... cerca di capirlo. E malgrado tutto, la sua morte è stata una disgrazia... Quando sono tornato a casa con i documenti in tasca, non volevo più ucciderlo... Mi ha visto e ha allargato le braccia, con gli occhi commossi. Non aveva l'ingessatura, camminava abbastanza bene. Mi ha detto che quella sarebbe stata la mia e la sua casa... ed era pronto a metterlo per iscritto davanti al notaio. E ha giurato sulla Madonna e sui santi che non avrebbe mai più alzato la voce, non avrebbe mai più pianto, non mi avrebbe più insultato o fatto scenate di gelosia. Figurati se ci credevo! Però, non so... forse mi ha intenerito, o mi ero veramente affezionato... o chi sa, per paura di commettere il più grave dei reati... fatto sta che nella mia testa ho cancellato tutti i piani... il delirio

195

era d'incanto finito, come se il solitario non fosse riuscito.

Il clima idilliaco, purtroppo, è durato meno di due giorni. Ricominciavano le vecchie torture, le liti, i pianti. Mi voleva a letto con lui e quando, per provocarlo, mi preparavo ad andarci, scoppiava di rabbia dicendomi che si vedeva che ci andavo da menefreghista, per metterlo in difficoltà invece che per amore. Io gli gridavo: ma perché non batti, vattene in giro... fotti e fatti fottere, invece di stare sempre in casa a rammendare calzini. Era divorato da se stesso e ogni giorno che passava diventava più velenoso.

La tragedia è scoppiata una notte. Cercavo di prendere sonno nella mia camera. Goffredo, abbrutito dalla noia, stava davanti alla televisione, a guardare programmi notturni. D'improvviso lo vedo arrivare con un grosso coltello da cucina in mano, gli occhi di fuori, le labbra bianche da quanto erano tirate, la voce roca e cattiva. Mi dice che ha visto un servizio in televisione e mi ha riconosciuto. Grida: sei un criminale, un delinquente di strada... ti stanno cercando e tu vieni a nasconderti da me! Mi hai preso in giro, mi hai detto che mi vuoi bene... mi hai anche fatto capire che mi ami... e scopro invece che per te questa casa è un nascondiglio, e io sono il tuo paravento.

Provo ad alzarmi dal letto... mi blocca minacciandomi con la punta del coltello... Adesso telefoniamo alla polizia e così viene a prelevarti... Su, alzati e vieni con me al telefono! Avevo più paura di lui che dei poliziotti... era fuori di sé. Bastava un nonnulla e mi avrebbe infilato il coltello da qualche parte. Mi obbliga ad alzarmi dal letto per andare con lui al telefono. Provo a dire qualcosa, per calmarlo, ma appena apro bocca diventa viola. Allora gli grido di fare il buono, di posare l'arma.

Per tutta risposta mi sferra una coltellata, io mi tiro

d'istinto indietro e lui per lo slancio cade a terra, provocandosi un taglio profondo alla gamba. Vorrebbe urlare, ma tutto quel sangue che gli imbratta i pantaloni lo spaventa e gli paralizza il fiato. Mi chiede aiuto, lascia il coltello e si solleva un po' da terra, poggia la spalla al divano. Respira a fatica. Mi prega di aiutarlo, di salvarlo. Piange e fa smorfie di dolore, intanto la pressione gli cala.

Con la cinta cerco di bloccargli l'emorragia. Dovevo portarlo subito in ospedale o chiamare l'ambulanza... ma non potevo, a quel punto non potevo. Ero preso dal panico. Sono rimasto inebetito, assente a me stesso, e quando ho ripreso lucidità, avevo i piedi nel sangue... e Goffredo non si muoveva più, fissava il nulla con gli occhi sbarrati, fissi. Ho capito che era morto.»

Capitolo XIV

Ho accusato un cedimento, un forte colpo al cuore. L'immagine di Goffredo, senza vita, ai piedi del divano, mi avrebbe accompagnato per sempre. Che destino tragicomico è stato il nostro! Io provo a togliermi la vita infilando la testa nel forno, lui inciampa e cade sul coltello che ha in mano. Vorrei chiedere alle persone che ci hanno frequentato se potevano mai pensare che avremmo fatto una fine del genere.

Stavamo bene insieme, pieni di allegria e con grandi progetti, due giovani come mille altri. Poi all'improvviso su di noi ha cominciato a piovere, s'è fatto buio. Dal buio sono uscita per il rotto della cuffia, dopo anni trascorsi nel bianco silenzio di una stanza d'ospedale. Il tempo si era interrotto. Goffredo dal buio non è più uscito. A tutti può capitare di tutto.

L'istinto di sopravvivenza ha immediatamente protetto come una corazza la mia salute mentale. Mi sono detta a gran voce: "Guai se da questa tragedia mi lascio rigettare nell'inferno!".

Tuttavia il dolore era insostenibile, non riuscivo a scioglierlo con le lacrime. Mi sono alzata e ho cominciato a rivestirmi. Ho chiesto a Gregor di riportarmi immediatamente al Rescator, oppure di accompagnarmi alla stazione più vicina. Lui mi ha avvolto con le sue braccia, mi baciava i capelli: «È notte, dove vuoi andare? Stammi vicino Angelica... non lasciarmi solo in questo momento».

«Non ce la faccio... ti prego, portami via!»

«No!» ha gridato lui.

Allora l'ho fissato gelida. «Vuoi ammazzare anche me?»

Uno schiaffo mi ha fatto cadere sul letto. Quindi ha preso un altro liquore e si è ributtato in poltrona. A lungo, con dolcezza, ho cercato di spiegargli che mai come in quel momento avevo bisogno di solitudine, di rimettere ordine nell'animo sconvolto. E lui, con l'accoramento di un innamorato, con altrettanta delicatezza, mi ricordava l'immane fatica che aveva fatto a dissotterrare la croce.

«Voglio essere amato da te senza alcuna riserva, piacerti totalmente, malgrado i miei gravissimi errori. Aiutami a dimenticare!»

Per la prima volta i suoi occhi neri si sono inzuppati. Gli ho preso una mano e l'ho tirato sul letto, ma solo per accarezzargli la fronte, e quietarlo.

«Va bene» gli ho detto. «Ho capito che ora, aiutandoti, aiuto me stessa. Tutti e due abbiamo bisogno di dimenticare.»

Mi ha baciato la bocca e si è avvinghiato a me. Eravamo talmente distrutti che ci siamo presto addormentati, uno abbracciato all'altra.

La mattina presto siamo in viaggio verso Nevada, entrambi provati. Goffredo mi torna di continuo in testa e io lo cancello, lo allontano. Se penso a lui, non riesco a uscire da una storia grigia e morbosa che mi sta rovinando. "Preferisco andare a sbattere la faccia contro un muro, piuttosto che crepare per qualcosa che mi sta alle spalle e che non potrei mai cambiare!"

«Lo so cosa pensi» mi dice all'improvviso Gregor guardando la strada.

«Penso a quante domande mi rimangono da farti per chiudere il cerchio.»

«Lo immaginavo.»

«Faccio male?»

«È necessario, se non vogliamo continuare a torturarci.»

«Da domani non mi chiederò più cosa è successo, ma solo cosa succederà. Farò in modo che il passato non getti ombre sul futuro. E prima facciamo, meglio è. Ti confesso che sono terrorizzata dall'idea che un brutto giorno, finito l'incantesimo, mi risveglierò e scoprirò di vivere accanto a un estraneo, a un alieno, per non dire altro.»

«Scusa il tono freddo, notarile... Tutto quello che ho fatto dopo la disgrazia non aveva altro sbocco. Ormai Goffredo era morto. Il corpo che stava lì in terra era un corpo e basta, materia senza vita e senza anima, un fagotto. Non potevo lasciarlo lì e scappare, in molti mi avevano visto con lui.»

«Me ne parli così, adesso?»

«Meglio in macchina, tra un sorpasso e l'altro. Ti racconto tutto con il tono di chi non c'entra niente. Così ci risparmiamo il tormento della notte passata. D'altra parte i fatti peggiori già li sai.»

«Se pensi che sia meglio, se te la senti... va bene.»

Tiene sotto controllo le emozioni e, stranamente invece di rallentare la corsa, accelera.

«Allora. Il corpo di Goffredo era lì, accanto a me. D'improvviso la trama del mio delirio aveva ripreso il suo filo conduttore. Ora dovevo far sparire Goffredo e prendere il suo posto. È stato semplice, da freddo calcolatore qual ero all'epoca: la sera stessa l'ho vestito con i miei abiti, in tasca gli ho infilato il mio portafoglio e i miei documenti. L'ho caricato dentro il bagagliaio della Ford e l'ho portato via. Ricordo che mi hanno fermato i carabinieri, hanno controllato i documenti, tutto a posto. Sono ripartito, e dopo pochi minuti ho dovuto fermarmi per vomitare. Sono arrivato fino a una discarica che vedevo sempre quando andavo in giro con Goffredo. In verità non la vedevo, notavo la macchia bianca dei gabbiani che si muoveva in cielo. Spandeva una puzza insopportabile. Ho scaricato il corpo in mezzo ai rifiuti, l'ho cosparso di benzina e ho dato fuoco. Di corsa sono tornato a casa, per rimettere tutto a posto, far scomparire ogni traccia di sangue.»

«È come se mi raccontassi uno sceneggiato, o un fatto di cronaca nera.»

«Infatti è così... quel tizio che va in giro con un morto in macchina non sono io.»

«Va bene, se allora la prendiamo come un'invenzione... quel signore, dopo aver cancellato le tracce di sangue, cosa ha fatto?»

«Già dal giorno successivo ha cercato di vendere la casa, tanto era sua! Ha venduto tutto, firmandosi con il nome della povera vittima. Si è tenuto solo la Ford.»

«Un piano niente male, non sembra venir fuori da un delirio.»

«La vera fortuna deve ancora arrivare. Sui giornali scrivono d'aver trovato in una discarica il cadavere bruciato di un uomo, probabilmente Gregor Berne... forse una punizione esemplare della malavita! Ma la polizia vuole essere sicura che si tratti proprio di lui, si aspettano i risultati dell'autopsia! La notizia non dispiace per niente a Gregor Berne, anzi... spera che venga letta e commentata dai vecchi amici diventati nemici... i quali sicuramente non hanno ragione di meravigliarsi per la brutta fine di un balordo come lui. Tu mi domanderai: dall'autopsia di un uomo semicarbonizzato, cosa si può ricavare di utile alle indagini?»

«Che cosa?»

«Giorni dopo, i giornali pubblicano, in un trafiletto

di cronaca, che l'autopsia ha rivelato che al cadavere manca un dito del piede sinistro, proprio come risulta dai segni particolari depositati nel carcere minorile in cui Gregor Berne è stato ospite da ragazzo... eccetera eccetera.»

«Già... il piede ferito... l'ingessatura. Un colpo di fortuna!»

«Ci vuole nella vita! Da quel momento nessuno avrebbe più cercato Gregor, era morto sia per la giustizia che per i delinquenti.»

«Il resto lo conosco. Vai a Nevada, un posto lontano e noioso dove sono tutti uguali e meglio ci si confonde; ti sposi con la prima bella donna che incontri; hai i soldi e metti su casa, ti organizzi un lavoro, un'alcova da re, sempre con le ricchezze altrui, ovviamente; fai una figlia... casa e lavoro, casa e lavoro... come tutte le brave persone di questo mondo. Finalmente sei diventato un cittadino onesto e produttivo.»

«Non stavamo parlando di me.»

«Certo, certo... oggi non ammazzeresti nessuno, lo so, non starei qui con te. Sbaglia chi dice che gli uomini non cambiano mai.»

«A volte basta mettersi un altro vestito per girare pagina... Però, anche quando il passato è stato brutto, ti dispiace non sentirti più chiamare da nessuno come ti chiamava tua madre... ti sembra di fare un dispetto a lei. Pochi anni fa sono andato a visitare la sua tomba, e la mia. Lei sulla lapide aveva la foto, io no. Ho sentito il bisogno di metterla anch'io.»

* *

Per il resto del viaggio non abbiamo pronunciato una parola, neanche durante uno spuntino e altre soste...

Ho accostato la sua terribile esperienza alla mia. In comune non avevamo solo Goffredo, ma una potente propensione al lutto. Lui voleva uccidere qualcuno, io volevo uccidere me stessa. Capisco che è crudele, ma non posso fare a meno di credere che il mio peccato sia più grave del suo; lui, al pesante prezzo di un omicidio, aveva agito per costruirsi un futuro. Gregor voleva vivere a tutti i costi. Io invece alla mia vita non credevo più. Eravamo due persone sfortunate, entrambe innocenti, entrambe immorali.

Lo guardavo guidare, chiuso in sé, con la sua espressione migliore, da ragazzo smarrito. L'eleganza del profilo e lo scintillio degli occhi neri a tutto facevano pensare tranne che a un criminale incallito. Non infondeva nessuna paura. Mi sono domandata se aveva la stessa faccia e la stessa timidezza prima di sposarsi con Rachele.

Cercando tra i CD buttati dentro il portaoggetti ho trovato un album spaccacuore del mio Bruce, *The Ghost of Tom Joad*. Ho chiuso gli occhi.

Mi ha lasciato al Rescator nel tardo pomeriggio. Gli ho detto che avevo intenzione di ripartire la mattina seguente. Dopo avermi abbracciato si è offerto di accompagnarmi alla stazione: appuntamento alle dieci, nella hall. Sono scappata in camera per accucciarmi nel letto. Toccava alle ore notturne aiutare la parte incontrollabile di me ad assestarsi nella nuova situazione, generando sogni e non incubi.

La mattina dopo mi sono svegliata molto tardi, ero sorpresa. Stanchezza? Paura di riaprire gli occhi? Lungo sonno ristoratore?

Era passato mezzogiorno. Telefono al portiere il quale, senza lasciarmi parlare, mi comunica che il signor Colin mi sta aspettando dalle dieci. Me lo passa.

«Scusami... non so cosa mi sia successo, l'ultima

volta che ho dormito così è stato alla fine degli esami di maturità.»

In attesa del treno, Gregor mi ha preso per mano e portato nella sala d'aspetto. Tremava in tutto il corpo. Faticava a parlarmi, ogni parola era un'incudine.

«Ma... cosa pensi di fare?»

«Vado da mia madre, starà in pensiero.»

«Ti rivedrò?»

«Non lo so, Gregor... sono così confusa!»

«Io... mi fido molto di te. La mia vita è nelle tue mani... e vorrei tanto che... che ci rimanesse.»

«Cosa vuoi dire?»

«Non te ne sei accorta, Angelica... ma... hai fatto succedere qualcosa. Ho sempre vissuto sul filo del rasoio... M'è capitato di tutto... almeno così credevo... e invece no, non mi è mai successo niente. Niente! Non so come spiegarti... è una sensazione che forse le persone normali hanno tutti i giorni, non lo so... per me è la prima volta... sì, la prima volta che allungando un braccio tocco qualcosa che esiste, che è vera.»

«Forse ho capito quello che vuoi dirmi. Lasciami prendere una piccola sosta dai dolori...»

«Solo dai dolori?»

«No... anche dall'intenso piacere che mi hai dato, lo dico spudoratamente. Ed è proprio questo il nodo che voglio sciogliere quando sarò sola, a casa mia, lontano da tutto.»

«Quale nodo?»

«Il nodo che lega il dolore al piacere.»

«Voglio stare bene e basta. Tu mi hai aiutato a tirare fuori tutto il veleno che avevo dentro. Stanotte sono stato male, ho ancora la febbre addosso: non lo so dove ho preso tutto quel coraggio... mi sono rivisto nel racconto che ti ho fatto di me... Mi sarei gettato dalla finestra. Questo succede quando uno non si ama... vuole sparire, gettarsi dalla finestra.»

«O infilare la testa nel forno, questo vuoi dire?»

«No! Sono spudorato anch'io, Angelica: sei l'unica creatura di questo mondo che mi dà felicità! Devi fare le tue scelte liberamente, ci mancherebbe... ma sappi che da oggi in poi non sarai mai più sola, perché ci sarò sempre io ad aspettarti... con lo stesso amore di adesso, come direbbe languidamente la tua marchesa di non so dove.»

«Marchesa du Plessis-Bellière, nonché contessa di Peyrac!»

* * *

Con mia madre, questa volta, non sono stata bene. Non avevo voglia di uscire, mi annoiavano le strade mute e grigie, i palazzi muti e grigi; mi opprimeva il cielo dello stesso umore delle strade e dei palazzi. Quando arrivavano le amiche di mamma preparavo il caffè e uscivo a comprare i brigidini alla pasticceria più vicina. Toccavo con mano la malinconia del tempo che se ne va, che preferisce gente in grado di apprezzarlo.

Per fortuna il dottor Stigliani era all'estero per un convegno. Non avevo nessuna voglia di incontrarlo, mi avrebbe parlato del tentato suicidio, ricordato ciò che volevo a tutti i costi dimenticare. E inoltre mi annoiava con il suo malinconico buon senso.

Non vedevo l'ora di andare a dormire, verso le dieci salutavo mia madre che restava davanti alla televisione fino a notte fonda. A lungo guardavo la trama delle luci che rastrellavano il soffitto ogni volta che fuori passava una macchina. Decifravo le ombre, che diventavano oggetti e personaggi che raccontano storie silenziose.

Anche l'adolescente Marchesa degli Angeli s'incantava davanti ai ghirigori delle ombre, con la fantasia animava addirittura i quadri: nella stanza vedeva brillare la luce dorata di una lampada da notte, a olio, accentuando il mistero dei bei mobili e della tappezzeria. A un tratto, guardando in alto il grande letto damascato, Angelica vide che il quadro del dio e della dea si animava. Due corpi bianchi e nudi si abbracciavano nel disordine delle lenzuola spinte via, che scivolavano a terra.

Erano così strettamente avvinti ch'ella pensò a una sfida di adolescenti, a una lotta fra paggi battaglieri e impudichi, prima di distinguere che si trattava di un uomo e una donna.

L'uomo si muoveva con lentezza, con regolarità, animato come da una tenacia voluttuosa, e i riflessi della lampada svelavano il gioco dei suoi muscoli stupendi.

Della donna, Angelica coglieva solo alcuni dettagli, fusi nell'oscurità: una gamba sottile, sollevata contro il corpo virile, un seno sporgente dalle braccia che la cingevano, una mano bianca e leggera che andava e veniva come una farfalla, accarezzando meccanicamente il fianco dell'uomo per abbandonarsi improvvisa, con il palmo disteso, pendente al bordo del letto, mentre dalle cortine di seta saliva un gemito profondo.

Dopo poche settimane ho avuto, chiarissima, la sensazione di spegnermi. La perdita di Goffredo mi stava svuotando, non avevo più obiettivi e ansie da inseguire. Il suo nome sopravviveva in Gregor: non soltanto il suo nome, anche la sensazione stessa del vivere. Così nel pensiero di Gregor mi ritrovavo, in un uomo che annullava ogni dolore nel piacere, che trasformava in innocui giocattoli i feticci della paura.

Mi faceva giocare con l'orrore come i bambini con i mostriciattoli di plastica.

Un pomeriggio chiesi a mia madre di raccontarmi dello zio suicida.

«Parliamo della preistoria. Un fratello di tuo padre, il primogenito... si chiamava Sergio. L'unico dei fratelli rimasto in casa dei genitori, in un paesino di campagna. Dicono che fosse matto fin da bambino, che mangiava le lucertole, le arrostiva come spiedini. Pare che d'estate andasse in giro con il cappotto, nudo e con il cappotto. Le malelingue dicono che quando passava vicino a una donna, apriva il cappotto e si faceva vedere. Poveraccio, era tutto sudato! Un tipo allegro, nessuno poteva sospettare... Io l'ho conosciuto all'ultimo, ricordo che mi ha fatto una grande impressione, un omone pesante come un trattore, ma con gli occhi buonissimi. Vederlo piangere, perché piangeva sempre... faceva una pena tremenda! Pare che fosse anche sonnambulo, che la notte girasse per casa, in pigiama, con il vaso da notte in mano come una candela... diceva qualcosa, ma nessuno capiva niente perché da sonnambulo gli veniva una voce da bambina che non sa ancora dire mamma. Invece non è per niente vero che fosse licantropo, che ululasse alla luna piena. Una cattiveria messa in giro dai vicini, che avevano paura di Sergio e volevano che la polizia lo arrestasse. Poi però, quando a loro serviva la legna, ci mandavano lui, che con quelle braccia ne portava un quintale per volta.»

Mi è venuto da ridere: anche una persona sprovveduta si sarebbe accorta dal racconto di mia madre che lo zio Sergio era stato demonizzato in maniera ridicola e paradossale. I parenti non volevano ammettere che s'era ammazzato soprattutto per colpa loro, così lo hanno fatto passare per pazzo, hanno creato la leggenda.

«Ma come si è ammazzato?»

«S'è annodato una lunga corda al collo, una ventina di metri, ha legato l'altra cima a un palo della luce, poi è salito sulla motocicletta ed è partito a tutta velocità cantando, a quanto pare, viva la pappa col pomodoro.»

Lì per lì, il ritratto dello zio pazzo e suicida mi ha fatto tanta simpatia. Mi sono immedesimata in lui, e con i suoi occhi vedevo la massa dei parenti intorno che mi guardavano con una smorfia sulla bocca, pietosi e schifati. Gli saranno sembrati matti, con quelle facce da babbei. In un colpo solo s'è liberato di tutti loro, appena una smanacciata all'acceleratore della moto.

Ancora suggestionata dal grottesco e terribile racconto di mia madre, dopo che lei è uscita per ritirare la pensione alla posta, sono entrata in cucina e, muovendomi lentamente, a piccoli passi, mi sono avvicinata ai fornelli. Mi sudavano il collo e la fronte.

Mi sono inginocchiata, ho aperto il forno e ho infilato la testa. Un piccante odore di ferro acido mi ha fatto subito lacrimare. Con gli occhi chiusi ho respirato profondamente l'aria morta, soffocante. Non ricordavo proprio nulla: ero stata veramente un'altra persona.

Vedendomi sempre in casa, mamma ha cominciato a preoccuparsi. Insisteva perché riprendessi il lavoro, non per i soldi, ma perché socializzassi, facessi qualche amicizia. Le sembrava impossibile che non frequentassi né amici né corteggiatori.

Aveva ragione, tuttavia non me la sentivo di intrecciare nuovi rapporti, troppa fatica. Le poche volte che ho scambiato qualche parola con possibili amiche o amici, un muro si levava tra me e gli altri. Non mi smuovevano il minimo interesse, sembravano poveri di vita, di passato, di felicità, e anche di dolori. Erano grigi come le strade, i palazzi e il cielo della mia città: piccole ambizioni, piccoli amori, piccoli interessi. Dovevano fare come mio zio, mangiare lucertole. Sarebbe stato qualcosa.

Mi domando se, con inconsapevole malizia, volevo che non mi piacesse niente e nessuno per correre a respirare ossigeno tra le braccia di Gregor. E quando mia madre ha insistito perché facessi di nuovo un viaggio, il più lontano possibile da lì, mi sono trovata un altro alibi. Ho detto a me stessa che la poverina mi invitava ad andarmene per lasciarle passare in santa pace i suoi ultimi anni. Ne aveva diritto.

Non mi sono fatta pregare. Questa volta ho riempito due valigie.

Capitolo XV

Arrivo al Rescator nel tardo pomeriggio. Mi sembra di essere rinata. Disfo le valigie, una doccia, mi cambio e vado a cena presto perché poi voglio infilarmi in un cinema: qualsiasi film va bene. Non ho altri programmi, neanche per l'indomani. "Una cosa per volta" mi dico.

Torno sul tardi, piuttosto stanca, faccio per andare verso l'ascensore, mi pare di vedere Gregor, di spalle, al bar. Mi fermo per guardare meglio. È proprio lui, sta bevendo seduto al bancone, con un occhio buttato verso il televisore acceso in alto, sullo scaffale. È vestito più o meno come la prima volta. Mi avvicino, gli tocco la spalla, si gira di colpo, l'aria imbestialita.

Appena mi vede, gli occhi intorpiditi s'incendiano di felicità. Fa finta di stropicciarseli, non crede a quello che vede. Scende dallo sgabello e mi abbraccia, mi stringe con le dita più che con le braccia, come ad artigliarmi, a non farmi più scappare.

Gli domando: «Come hai fatto a sapere che arrivavo?».

«Non lo sapevo!»

«Allora che ci fai qui?»

«Ci abito, ho preso una stanza quando tu sei partita. Di giorno lavoro, la notte vengo qui a dormire.»

«E a casa, che dice Rachele?»

«È la persona più comprensiva di questo mondo. Dài, Angelica, bevi qualcosa con me, ci sediamo a quel tavolo... cosa ti offro?»

«Latte freddo con orzata e menta.»

Il barista sente e si mette all'opera. Lui sorride. «Pensavo che non la bevesse più nessuno questa roba!»

«E io pensavo che tu non bevessi proprio niente.»

«Adesso che sei qui... ci metto poco a smettere.»

Lo guardo bene, non è proprio ubriaco, ma quasi. I tempi lenti delle mani e del viso quando si gira, i capelli ingarbugliati, le palpebre appesantite, la bocca umida... è lui, il pirata, gli mancano gli spruzzi del mare.

Un vecchio suona e canta al pianoforte, le luci sono basse. Ci sediamo in un salotto rosso, un rum per lui e il tropical per me. Lo sguardo nero e brillante mi fissa, ha una potenza d'attrazione irresistibile. Sono come un uccello affascinato dal serpente. Ogni parola è maldestra. Ci guardiamo sapendo che la vita ci grava con tutto il suo peso.

Si siede accanto a me, mi bacia un angolo della bocca.

Una notte indimenticabile, che al solo pensarla mi fa piangere. La libertà assoluta dà brividi di febbre, è pericolosa. Abbiamo fatto l'amore con il corpo e con le parole. Non sospettavo il potere che hanno le parole per moltiplicare il piacere. Non è la loro bellezza a far bello l'amore. Sono frasi dure, ogni tanto addolcite dal silenzio delle bocche che si cercano. Solo quando basta il semplice bacio a scatenare il godimento, non c'è più bisogno di parole. È la perfezione.

Mi prende, e mi punisce perché mi sono lasciata prendere. E io gli dico: volevi ammazzarmi, eh... E lui: sì volevo ammazzarti, buttarti giù dal burrone... E io: per questo mi hai portato di notte, sulla montagna..

Gregor tiene scostate le mie ginocchia e ammette di avere avuto paura di me... Mi lascio possedere e gli urlo nell'orecchio che intanto bagno con la lingua: il piede sinistro glielo hai spezzato apposta... confessa! E lui: sì... doveva avere un dito mancante come il mio.

Le mani sui suoi fianchi, lo tiro verso di me: sei una carogna! Lui risponde subito: sì, un animale... ogni tanto perdo la testa. Io godo e tremo spaventata: mi vuoi uccidere adesso? Lui ghigna: no se mi obbedisci!

Gli giuro di essere sempre obbediente e di essere pronta a fare qualsiasi cosa gli dia piacere. Lui ne approfitta subito, e mi gira a faccia sotto con le braccia forti e decise. Io grido no, no... mi fa tacere subito con una pesante sculacciata, minacciando di sfilarsi la cintura dei calzoni. Prendendomi dove fa male mi morde la nuca.

La faccia affondata nelle lenzuola, mi vendico accusandolo di aver ammazzato Goffredo... E lui: sì, il tuo fidanzato l'ho ammazzato io, con il suo stesso coltello. Gli chiedo: che cosa aveva fatto di male? Lui, con cattiveria: non doveva desiderarti, non doveva toccarti, l'ho punito!

A denti stretti gli urlo che è un violento. Basta, me ne vado, gli sputo in faccia cercando di scivolare via dal letto. Dove vai?... dice lui, e mi blocca... E io: voglio andare via, tu non mi ami... mi vuoi uccidere! Lui cerca di fermarmi: sì, ti voglio uccidere, e voglio morire con te. E allora gli dico che mi deve legare se vuole che resti. E lui mi lega davvero, sfila le federe di due cuscini e le usa come lacci per fissare i miei polsi alla spalliera del letto.

«Cosa vuoi farmi, cosa vuoi farmi?» urlo. E lui: non urlare, se no ti imbavaglio con la tua calza. Poi mi ordina di piegare le gambe e allontanare le ginocchia, lui si sdraia a pancia sotto, il volto a due palmi dall'inguine, e per un po' si ferma a guardare in un silenzio quasi sacro. Ha gli occhi lucidi, non sbatte le palpebre... comincia a lacrimare, poi intinge le dita nelle lacrime e le passa delicatamente tra le mie gambe.

Non ricordo a che ora siamo crollati, però non dimenticherò mai il lungo bacio mattutino, all'inizio non solo di una nuova giornata, ma di una nuova vita, per me e per Gregor. Adesso eravamo due angeli, tutta dolcezza e silenzi. E con una grande voglia di prendere la macchina e andare a cercarci luoghi incantevoli e profumati, con strade e case colorate, sotto un cielo azzurro.

Abbiamo lasciato il Rescator e caricato i bagagli sulla Renault. Siamo partiti senza sapere per dove. Abbiamo seguito l'estro, verso gli alberi se c'era da scegliere tra gli alberi e i centri abitati.

Tutto meraviglioso, ma non ho potuto fare a meno di chiedere a Gregor cosa avrebbe detto Rachele della nuova, per me molto imbarazzante, situazione.

«Rachele ha seguito la nostra storia in tutti i passaggi... è informata di ogni cosa.»

«Sa che... ci amiamo?»

«Lo sa... e ha capito che è inutile opporsi. È una donna particolare... ci augura la felicità che fino a oggi non abbiamo avuto... Lei, con la bambina, adesso ce l'ha!»

«Come ha accettato la sua sconfitta, non essere riuscita a farti veramente felice?»

«La bambina non ci permette il lusso di essere infelici.»

«Sapeva tutto fin dall'inizio?»

«Sì.»

«E quando è venuta a trovarmi... fino a casa mia?»

«Ho tenuto io Severina.»

«Ma lei mi ha detto che tu non sapevi del suo viaggio.»

«Eravamo d'accordo. Dovevamo assolutamente sapere cosa avresti fatto... bisognava riagganciarti...»

«Allora sa...»

«Sì, sa che il mio vero nome è Gregor Berne! Gliel'ho rivelato una sera, quando ero ubriaco...»

«E... ha recitato fin dall'inizio?»

«Non vuole fare male né a me né a Severina, né a se stessa. Spera che noi siamo felici e che un giorno possiamo incontrarla con la bambina, senza problemi. È una donna forte e realista, anche lei si rifiuta di star male, ha detto basta.»

«Incredibile, stiamo vivendo un finale degno di Anne e Serge Golon! Ma mi viene un sospetto terribile.»

«Quale sospetto?»

«Che fai finta di amarmi per continuare a tenermi sotto osservazione!»

A queste mie parole Gregor ha fermato l'automobile nella corsia d'emergenza e ha alzato le braccia.

«Ti prego, Angelica... mettiamo fine alla spirale dei tormenti. Così non ne usciamo più... l'unico modo di essere noi stessi, tranquilli e felici, è non pensare. La libertà è non pensare, perché siamo schiavi di idee parassite, che s'attaccano a noi, e ci mangiano. Forse è anche vero, ti amo per tenerti sotto controllo. Tu fermati alla prima parte, al "ti amo", lasciati dominare se mi ami anche tu!»

Mi ha baciato, ha rimesso in moto ed è ripartito.

Quando ci siamo fermati a un bar, stava per prendere una mezza vodka. Gli ho urlato di no, con brutalità, si è quasi spaventato. Ha bevuto un cappuccino. Alla guida, però, le mani gli tremavano un poco.

«Anni fa sono passato da queste parti. Fra un po' di chilometri lasciamo l'autostrada e andiamo verso un paesino bellissimo, conosciuto da pochi, in fondo a una verde vallata. Si chiama, se non mi sbaglio,

Fontenac, o un nome simile. È la zona del famoso vino del Gaio Sapere. Ricordo che nella piazzetta c'è un piccolo albergo giallo e a tutte le finestre ridono vasi di gerani, anch'essi gialli. Mi è rimasto impresso proprio per l'allegria dei fiori, la semplicità delle case e il profumo. Del vino purtroppo posso dire poco perché già non bevevo più!»

«Sì, cerchiamo questo paese giallo! Fontenac, hai detto?»

«Sì, Fontenac.»

Lasciamo l'autostrada e cominciamo a salire lungo una provinciale a doppio senso, piuttosto tortuosa e trafficata. Noto che gira il volante nervosamente e suda, la troppa prudenza rivela incertezza e paura.

«Vuoi che guidi un po' io? Non mi ricordo più come si fa, ma ero brava!»

Lui ride. «Forse hai ragione, al primo slargo ci fermiamo e ti passo il volante.»

Sorpassa un furgone col fieno e subito dopo la curva ci vediamo venire incontro una grossa autobotte. Gregor, spaventato senza motivo, invece di accostare sulla destra, frena di colpo, tenta irragionevolmente di inchiodare la macchina. Questa, invece di bloccarsi, comincia a sbandare e va a sbattere con una fiancata contro la parete del monte. L'autista, per evitare l'urto, d'istinto sterza sulla sua destra. Il camion, pesante com'è, esce di strada e precipita giù per il ripido costone. Si ribalta e s'incendia in un attimo, mandando a fuoco un boschetto.

Ma la scena io non la vedo, perché sono priva di conoscenza all'interno della Renault.

Sono uscita dallo stordimento all'ospedale. Molti acciacchi, ma lievi. Lo choc invece mi ha sconvolto. Gregor mi tiene la mano, seduto accanto alla barella dove sono sdraiata, in un angolo del lungo corridoio, sotto una Madonna che regge con la mano un cero acceso.

Al mio risveglio Gregor mi ha sorriso, per mettermi subito di buon umore. Ha appena un paio di cerotti al braccio e una fasciatura elastica al polso. Ci è andata bene. Per i due che stavano nella cabina del camion si nutre ancora qualche preoccupazione, per via delle profonde ustioni.

A sera siamo risaliti sull'ammaccata Renault per riprendere il viaggio. I poliziotti hanno completato la stesura dei verbali, e ci hanno lasciati andare ordinandoci di rimanere a disposizione.

Fontenac è a pochissimi chilometri dal luogo dell'incidente. Meno di mezz'ora e già siamo a cena nel delizioso alberghetto al centro del paese. A lume di candela, come due sposini in viaggio di nozze, abbiamo il coraggio di essere allegri. L'essere scampati alla tragedia ci fa scoprire la vita anche in un sasso o in un pezzo di legno.

Non sono mai stata tanto felice, e sono sicura che non lo sarò mai più. Per me è valso vivere solo per quelle ore serali, con le ultime pennellate di sole che non vogliono andarsene dalle finestre.

Passiamo giorni magnifici. Non sapevo che la curiosità potesse dare tanta gioia. Perché quel fiore, perché quell'ape... e il vento che distribuisce il séme. E non avevo mai sentito l'odoraccio della ruta, che scaccia anche le vespe. A tavola assaporiamo profumi d'erbe aromatiche, di castagne e dell'umida terra di bosco.

Per l'amore non c'è più differenza tra giorno e notte. Un abbraccio commosso, camminando semplicemente lungo un viale alberato, vale la turbolenza notturna...

Mi appassiono alla cucina a Fontenac. Stringo amicizia con la cuoca, e mi faccio dettare le sue raffinate ricette.

«Se un giorno avremo una casa, compreremo tante pentole e padelle d'ogni forma e misura. Nessuno mi ha mai detto che l'uovo al tegamino si cucina nel forno. Fino a ieri lo friggevo nell'olio.»

«Ti farò assaggiare una zuppa di grano e ceci... è il mio cavallo di battaglia! Basta una pentola con il coperchio.»

L'idea di cercarci una casa in affitto da quelle parti è venuta a lui. «Non per starci sempre, per venirci quando vogliamo.»

«Io rimango qui, custodisco la casa e aspetto il tuo ritorno dal lavoro. Magari apro un negozietto di piumoni svedesi, o di candele.»

Andiamo in giro in cerca di una villetta. In realtà è una scusa per attraversare i paesini più sperduti e dimenticati.

Una mattina, prima di salire in macchina, leggiamo sul giornale locale che uno dei due autisti del camion incendiato non ce l'ha fatta, è morto per la gravità delle ustioni.

È un brutto colpo per noi, soprattutto per Gregor, che si sente responsabile dell'incidente, anche se, a detta della polizia stradale, il camion andava troppo veloce.

Leggo la notizia, dove viene brevemente ricostruita la dinamica dell'incidente e dove si dice che i due a bordo della Renault, il signor Goffredo Colin e la sua fidanzata Angelica, sono finiti in ospedale: un articolo sbrigativo, sotto la fotografia dei pompieri che spengono le fiamme nel boschetto.

Gregor pensa che sia doveroso andare al funerale dell'autista. «Non possiamo fregarcene!» Sono d'accordo, ma scopriamo, dal telegiornale della sera, che i funerali si svolgono l'indomani a Siracusa, città natale del defunto. Troppo lontano.

La mattinata passa con fatica, né io né lui possiamo nasconderci che un pezzo di colpa ce la dobbiamo prendere. Solo noi sappiamo che un attimo prima dell'incidente, poiché la guida di Gregor era incerta, avevamo deciso che passavo io al volante. Ci siamo ben guardati dal parlarne. Servirebbe soltanto a star male, e non abbiamo proprio voglia di star male. Abbiamo fatto il callo a scacciare i dolori.

Nel pomeriggio tutto è dimenticato, e siccome comincia a piovere, rimaniamo nel nostro grazioso albergo giallo, dove Gregor mi insegna una mezza dozzina di giochi di carte. Poi mi porta al biliardo e con scrupolo da professionista mi fa scoprire un'arte piena di fascino, a me totalmente ignota. Non avrei più lasciato la stecca.

Prima di cena, al tramonto, visto che non piove più, prendiamo la macchina per andare sotto gli alberi gocciolanti del bosco, per bagnarci il viso, e respirare il profumo dell'erba umida. Rimarrei lì in eterno.

Abbiamo entrambi voglia di programmare il futuro in maniera concreta. Ne facciamo cenno, e subito scappiamo via dalle parole, abbiamo il terrore di sognare troppo.

Si accendono le prime stelle, ceniamo nella veranda, ci serve personalmente la cuoca, descrivendo le virtù di ogni piatto e la purezza degli ingredienti.

Non sospettiamo minimamente che in quelle stesse ore la polizia si è messa sulle nostre tracce. Crediamo di essere all'inizio della più bella storia d'amore, invece siamo alla fine.

È successo che la notizia del brutto incidente stradale, per il quale è andato in fiamme un bosco, è capitata fortuitamente tra le mani del dottor Stigliani.

Nel leggere che siamo stati coinvolti io e Goffredo Colin si è spaventato. Ha provato a mettersi in contatto con l'ospedale, ma non gli hanno detto granché. Si è ricordato della busta che gli ho spedito, l'ha aperta e con angoscia ha letto, e ha visto le fotografie. Si è quindi precipitato, come gli scrivevo di fare, al commissariato di polizia più vicino.

La giustizia ci ha separato, e ci terrà lontano, credo, per molti anni, sempre che non si risvegli anche la vendetta degli ex amici di Gregor. Non so se un giorno si potrà riprendere il discorso interrotto nel piccolo albergo di Fontenac, ma, in attesa di qualche colpo di testa del destino, non voglio dimenticare l'unica pagina bella della mia vita, ci resto attaccata come l'orchidea al tamarindo.

Gli ho detto proprio così, l'ultima notte, stretta a lui sotto le coperte Gli ho detto che il mio sogno era di restargli attaccata come una pianta parassita all'albero, ma non l'edera, una pianta bella, con i fiori colorati.

È stata una notte di soli baci, con il cuore sereno, profumati ancora di pioggia.

Voglio finire con le ultime frasi che i coniugi Golon hanno scritto per concludere il romanzo *Angélique et son amour*: sono migliori di quelle che troverei io, ed è anche il mio modo di ringraziarli.

Egli vedeva, nell'alba che nasceva, tremarle la curva delle labbra: un po' sorriso, un po' tristezza. E pensava: "Mio unico dolore... mio unico amore...". La sua bocca, un tempo, non aveva quel fremito di vita, quello sguardo seducente.

«Sì, ho sofferto... per causa vostra... se ciò può farvi piacere, divoratrice di uomini.»

Com'era bella! Più bella perché c'era in lei un calore umano di cui l'esistenza l'aveva arricchita. Avrebbe dormito sul suo seno. Avrebbe dimenticato tutto fra le sue braccia.

Prese la sua chioma di madreperla, la torse, ne fece un laccio che si avvolse intorno al collo. Labbra contro labbra, stavano ricominciando a baciarsi perdutamente, quando un colpo di moschetto lacerò, fuori, il silenzio del mattino.